당신이 보지 못한 한국전쟁

삐라 심리전

당신이 보지 못한 한국전쟁
삐라 심리전

초판 1쇄 발행 2024년 7월 27일

저자 **전갑생 김용진 최윤원**
편집 **조연우**
교정교열·디자인 **조연우**
인쇄 **(주)아트가인쇄**

펴낸이 **김중배**
펴낸곳 **도서출판 뉴스타파**
출판등록 2020년 8월 24일 제2020-000128호
주소 (04625) 서울시 중구 퇴계로 212-13 뉴스타파함께센터 4층
전화 02-6956-3665
이메일 withnewstapa@newstapa.org

ISBN 979-11-974123-9-4(03910)

목차

프롤로그   10

미 극동사령부와 유엔군사령부   36

미8군사령부   142

한국군   230

북한인민군과 중국인민지원군   252

에필로그   382

일러두기

이 책에 수록한 삐라는 한국탐사저널리즘센터-뉴스타파 해외사료수집팀이 미국 국립문서기록관리청(NARA)산하 국립공문서
관 2관(The National Archives II)에서 수년간 수집한 한국전쟁기와 전후 삐라, 표어, 포스터 등 7400여 점 중에서 선별했다.

삐라의 표준어는 한글로 '전단'이지만 이 책에서는 '삐라'로 표기했다. 심리전 전단을 지칭할 때 일반적으로 사용하는 용어이고,
이 책에 수록한 삐라를 생산한 미군이나 인민군도 자신들의 심리전 선전전단을 한글로 '삐라'라고 표기했기 때문이다. 미군 보
고서에 나오는 'leaflet'도 삐라로 번역했다.

이 책에 담은 삐라 생산 주체는 미극동사령부/유엔군사령부, 미8군, 한국군, 북한인민군/중국인민지원군 등이다. 순서는 각 생
산주체별, 시기별로 엮었다.

한국전쟁 때 북한군 공식 명칭은 '조선인민군'이지만 독자의 이해를 돕기 위해 '인민군', '북한군', '북한인민군' 등으로 표기했다.

뉴스타파 최초 4K 다큐멘터리 <당신이 보지 못한 한국전쟁> 2화 심리전

01

프롤로그

'키치너 모병 포스터'에서 '삐라'로

"영국인들이여, 조국이 당신의 입대를 원한다! 국왕폐하 만세"
이 짧은 문장, 그리고 영국 전쟁국무장관 키치너가 보는 이를 정면으로 응시하며 손가락으로 가리키는
이미지. 이를 결합한 이른바 '키치너 모병 포스터'는 역사상 가장 성공한 선전물이다.

1914년 제1차 세계대전 발발 직후 영국에서 나온 '키치너 모병 포스터'다. 이후 백년 넘게 전 세계에 수많은 모방작을 낳았다.

1917년 1차대전 당시 미국에서 나온 병사 모집 포스터다. 미국을 상징하는 인물인 '엉클 샘'이 보는 이를 가리키며 "당신의 미육군 입대를 원한다"고 말하고 있다. '가장 가까운 모병소(Nearest Recruiting Station)'라는 글 아래에 한 줄 공백이 있는데 여기엔 이 포스터를 부착한 장소 인근의 모병소 이름을 기재했다고 한다.

키치너 모병 포스터와 유사한 이미지는 미국에 이어 1919년에 러시아와 독일, 1932년 브라질과 스페인 내전 때도 등장했고, 2차 세계대전과 한국전쟁, 베트남전쟁, 그리고 현재까지도 전 세계에서 널리 변주되고 있다.

한국에서는 키치너 모병 포스터 캐릭터에 단군 할아버지를 넣어 빨치산 투항 유도 삐라나 반공 포스터를 제작해 배포했다. 북한은 코로나19 팬데믹이 한창이던 2022년 5월 25일 코로나19 방역 캠페인을 위해 키치너 모병 포스터와 유사한 포스터를 만들어 공개하기도 했다.

북한이 코로나19 방역 캠페인으로 2022년 제작해 공개한 포스터. 키치너 모병 포스터 이미지가 100년의 시차를 뛰어넘어 지구 반대편에서도 여전히 변주되고 있다.

이처럼 선전 포스터는 전시 또는 비상시에 강력한 심리전 도구로 활용돼왔다. 그리고 선전 포스터를 소형화, 표준화하고 대량생산해 적재적소에 살포할 수 있도록 만든 것이 바로 '선전전단(Propaganda Leaflets)'이다.

선전전단은 흔히 '삐라'라고 불린다. 삐라는 영어 'Bill'의 일본어 발음에서 유래했다. 삐라가 선전전단을 뜻하는 용어로 대중매체 등에서 광범위하게 사용되면서 학술논문이나 일반서적 등도 심리전 목적 전단을 삐라로 표기하는 경우가 많다.[1] 이 책에서도 독자 편의를 위해 '선전전단'을 삐라로 부르기로 한다. 다만 선전전단으로 해야 의미 전달이 분명한 경우는 예외로 한다.

키치너 모병 포스터를 원류로 한 삐라는 양대 세계대전을 거치면서 본격적으로 심리전에 투입된다. 그리고 항공기와 대포, 대형 풍선 등을 통해 대량 살포되기 시작했다. 1950년에서 1953년까지 이어진 한국전쟁은 삐라가 대표적인 심리전 무기로 본격 등장한 공간이다.

---

1 삐라로 듣는 해방 직후의 목소리(김현식, 2011), 적을 삐라로 묻어라(이임하, 2012), 6.25전쟁기 미군의 삐라 심리전과 냉전 이데올로기(정용욱, 2004) 등이 있다.

1951년 10월 19일 한국전쟁 당시 미군의 삐라 살포 시연회. 미국 육군부 심리전 책임자 로버트 맥클루어 준장 등이 참석했다.

미국이 삐라를 활용한 심리전에 얼마나 전력을 기울였는가는 한국전쟁 당시 미국 육군부장관 프랭크 페이스가 남긴 이 말을 통해서도 여실히 알 수 있다.

"Bury the enemy with paper!"
"적을 종이(삐라)로 파묻어라!"

심리전, 언제부터 시작됐는가

심리전이란 무엇인가

심리전은 국가나 군이 어떤 목표를 달성하기 위해 '타깃'의 생각, 신념, 행동에 영향을 미치도록 계획한 선전 및 기타 정보 활동이라고 한다. 미국 국방부가 1950년 제작한 선전 다큐 영상 '심리전-한국전에서의 전투 무기(Psychological Warfare: A combat weapon in Korea)'에서 심리전을 이렇게 규정한다.

심리전은 전쟁의 역사만큼 오래됐다. 오늘날 심리전은 전투의 필수 요소로서 새로운 형태를 띠게 됐다. 심리전 수단은 다양하다. 인쇄한 활자, 말 등을 이용한다. 그러나 목적은 하나다. 적을 물리치는 것이다. 심리전이 겨냥하는 목표물은 적의 육체가 아닌 적의 정신이다. 적의 정신에 영향을 끼쳐 적을 약하게 만든다.

이 영상에서 당시 미 육군 심리전 책임자인 로버트 맥클루어 준장은 "심리전은 이념전쟁이다. 우리가 이전에 알던 그 어떤 것보다 더 총체적인 글로벌 차원의 전쟁이다. 적들은 냉전시대에 선전선동, 전복과 침투 작전을 벌였고, 열전이 한창 진행 중인 한국에서도 마찬가지다."라고 주장하며 "우리도 그들처럼 이념투쟁을 한반도 최전선에서 수행한다"고 밝혔다. 그의 말대로 한국전쟁 때 이념이나 사상, 체제 우위를 선전하는 심리전, 특히 삐라를 동원한 심리전이 매우 격렬하게 벌어졌다.

이 미군 영상이 언급한 것처럼 심리전 역사는 전쟁 역사와 시기가 겹친다. 일찍이 로마인은 아군의 세력을 과장하고 적군을 공포에 떨게 하기 위하여 소문을 심리전 기법으로 사용했다. 20세기 들어서 연속한 세계대전은 신무기 개발과 더불어 심리전의 발달을 초래했다.

1차 세계대전에선 라디오나 확성기 사용은 미미했고, 포탄 안에 삐라를 넣어 적진에 발사하는 기술은 등장하지 않았다. 쌍발 비행기에 삐라 뭉치를 싣고 적진 상공에서 손으로 살포하는 방법이 일반적이었다.

2차 세계대전 때 북아프리카 전선에서 준군사 무기로서의 새로운 심리전 개념과 운영 기법을 적용했다. 미국 등 연합군은 전시정보국(OWI)과 전략첩보국(OSS), 해군정보국(ONI), 합동육군해군정보연구(JANIS), 네덜란드 정보국(NEFIS), 남서태평양지역 총사령부 연합군번역통역부(ATIS), 동남아시아번역심문센터(SEATIC) 등 다양한 정보 조직을 구성하고 심리전에 나섰다. 이렇게 축적한 심리전 잠재력을 독일군, 일본군과의 전투에서 충분히 발휘했다. 연합군 심리전 부대 확성기팀은 유럽 모든 전선에서 활동했다. 라디오 방송을 통한 심리전은 적 부대와 후방 지역 주민에게 강력한 선전 소식을 전달하는 역할을

했다. 삐라는 공중에서 뿌려지거나 포탄에 실려 적진에 도달했다. 각 작전 단계에 강력한 지원 무기로써의 심리전 개념이 2차 세계대전 때 정립됐다.

심리전 조직과 한국전쟁

2차 세계대전이 끝나고 미 대통령 트루먼은 1946년 전시정보국(OWI)과 전략첩보국(OSS)을 통합해 중앙정보국(CIA)이라는 조직을 만들었다. CIA는 해외 정보 수집뿐 아니라 전시 심리 작전 업무까지 포괄했다. 2차 세계대전 때 미 육군 심리전부를 이끈 로버트 맥클루어는 "2차 세계대전 때 OWI와 OSS가 끊임없이 갈등했다"며 심리전을 CIA나 미 국무부가 통괄하는 것을 경계했다. 그는 "선전은 하나의 머리 아래 있어야 한다. 심리전 기관은 수집, 평가, 보급이라는 독자적인 정보 기능을 보유해야 한다. 미 육군 산하에 심리전 특수부대를 조직해야 한다"고 주장했다. 결국 1950년 한국전쟁 직전에 미국은 육군부 산하 심리전부를 조직하고 사령관에 맥클루어를 임명했다.

한국전쟁 때 심리전은 포스터와 삐라 등 활자매체, 확성기 방송과 음악, 영화까지 다양한 매체를 이용했다. 1951년 6월 20일 미 대통령 트루먼은 국무부장관, 국방부장관, 중앙정보국(CIA)국장을 불러 심리전략위원회(Psychological Strategy Board, PSB)의 목적과 효과적인 계획, 조정 및 작전 등을 논의하고 합동참모부를 비롯한 군사고문을 대거 위촉했다. 이 PSB는 국무부, 국방부, 합동참모부, 미 해외공보처(US Information Agency, USIA) 등에서 52명의 위원으로 구성했다. PSB는 여러 기관에서 진행한 심리전 프로젝트 계획과 결과를 취합해 국가안전회의(National Security Council, NSC)에 보고했다. 한국을 비롯한 아시아, 유럽, 아랍 등 각국의 심리전 정책과 방법 등을 논의하고 중요 프로젝트도 기획했다.

이 조직은 한국전쟁 때 전쟁포로 문제나 정전회담 등의 이슈뿐 아니라 삐라와 확성기 및 라디오 선전 방송까지 포괄하는 심리전 정책을 결정했다.

삐라 심리전 목적과 주제

미군이 제작한 삐라는 북한인민군과 중국인민지원군의 전투 의지를 꺾는 것, 이른바 자유진영과 체제 우월성을 선전하는 것, 적군의 분열과 갈등 유도, 북한 주민에게 유엔군의 시각과 전황 전달, 한국군과 남한 주민의 사기를 높이는 것 등이 주요 목적이었다.

귀순이나 투항을 하면 제네바 협정에 따라 대우하고, 좋은 음식과 진료 등을 제공한다는 선전, 압도적인 유엔군 전력을 강조하며 헛되이 목숨을 버리지 말라는 경고, 설이나 추석 등 명절 때 향수를 불러일으키는 내용, 그리고 소련 지령에 따라 북한이 남침했으며 공산당이 국민의 고혈을 빨아먹는다는 것 등이 미군 삐라가 주로 다룬 주제였다.

어떻게, 얼마나 뿌렸나

공중에서, 지상에서

미8군 정훈국 소식 1호는 심리전을 "적의 정신과의 전쟁(The War Against The Enemy Mind)"이라고 규정했다. 한국전쟁 당시 미군은 평양 등 북한 지역뿐 아니라 남한 내 북한인민군 점령 지역에도 B-29나 B-26 같은 폭격기, F-51 전투기나 T-6 훈련기, L-5 연락기, C-47 수송기 등 다양한 항공기로 삐라를 공중 살포했다. 포탄에 삐라를 가득 담아 투하하는 방식이 일반적이었으나 소형 항공기에서는 승무원이 손으로 삐라 뭉치를 공중에서 뿌렸다. 105mm 곡사포, 전차포, 박격포 등을 이용해 삐라를 넣은 포탄을 목표 지점에 정확하게 발사하기도 했다.

한국전쟁 당시 일본 도쿄 인근 비행장에서 미 극동사령부 심리전 부대원들이 한반도로 출격할 B-29 폭격기에 탑재할 포탄 안에 삐라를 넣고 있다. 500파운드 폭탄 탄피 하나에 22,500장의 삐라가 들어갔다.

한국전쟁 때 미군 항공기가 삐라 폭탄을 투하하고 있다.

미군 항공기에서 뿌린 삐라가 마치 눈발처럼 지상으로 떨어지고 있다.

미군 항공기 승무원이 뇌관이 부착된 삐라 뭉치를 밖으로 내던지고 있다.

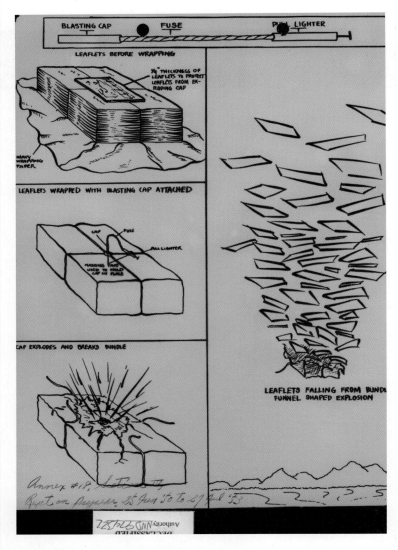

미군 심리전 부대는 항공기에서 투하할 삐라 뭉치 포장 위에 도화선으로 연결한 뇌관을 부착해 공중에서 삐라가 퍼져나가도록 했다.

미군의 한국전쟁 당시 심리전 활동 보고서[2]에 따르면 1951년부터 1953년 사이 북한인민군 및 북한 주민과 중국인민지원군에게 살포한 전단지는 1,411,255,700장이다. 1952년 1월 15일부터 1953년 6월 12일까지 약 1년 6개월간 105mm 곡사포를 통해서만 모두 147,271차례 삐라 포탄을 북한인민군 쪽으로 발사했다.

또 확성기와 삐라 담당 부대를 21개 중대 규모로 운용했다. 1951년 1월 12일부터 1953년 7월 27일 정전일까지 확성기 방송 및 삐라 중대 요원만 무려 14,756명이었다.

---

2 RG 550, A1 1, Box 97, 8th U.S. Army, Report on Psychological Warfare, 25 June 1950 - 27 July 1953

확성기·라디오·선전영화

한국전쟁기 심리전은 삐라 제작과 살포에 그치지 않았다. 확성기 방송, 라디오, 선전영화 등도 한 축을 담당했다. 확성기 방송 작전은 전선에서 탱크나 군용차에 부착한 확성기를 이용해 북한인민군과 중국인민지원군에게 투항이나 귀순을 유도하는 방식으로 전개했다. 미8군사령부 심리전국은 항공기에서 공중 방송도 했다. 방송 요원은 한국어 담당자뿐만 아니라 아래 사진처럼 중국인민지원군을 타깃으로 한 중국어 선무 방송 요원도 있었다.

라디오를 통한 심리전은 단파 라디오나 KBS 등으로 한국 국민에게 다양한 프로파간다 방송을 했다. 〈자유세계주간신보〉 등 신문형 선전물에 실린 반공 텍스트를 음성으로 다시 전파하기도 했다.

미 공보원은 〈코리안뉴스〉, 〈리버티뉴스〉 같은 영상을 제작해 일반 극장이나 노천극장, 미 공보원 극장 등에서 상영했다. 라디오나 뉴스영화, 문화영화 등은 한국전쟁이 끝난 뒤에도 한국민을 상대로 반공주의를 교육하는 콘텐츠로 활용됐다.

위: 중국인민지원군을 상대로 귀순 독려 방송을 하기 위해 미군 C-47 항공기에 탑승한 중국어 선무 방송 요원. 1951.4.20.

아래: 미8군 소속 한국인 노무자들이 항공기에서 뿌릴 삐라 뭉치를 정리하고 있다. 1951.4.19.

'개주검'으로 본 삐라 생산에서 살포까지

한국전쟁이 중반으로 치닫던 1951년 10월, 일본 도쿄 인근 미 공군기지.

미 극동사령부 심리전 부대는 활주로에 대기한 B-29 중폭격기에 화약 대신 삐라를 가득 채운 폭탄을 실었다. 500파운드 짜리 폭탄 탄피 하나에는 22,500장의 삐라가 들어갔다. B-29는 한반도 상공으로 출격해 이 삐라 폭탄으로 목표 지점을 융단폭격할 참이다. 이날 삐라 폭탄에는 '개주검'이라는 제목의 삐라가 들어갔다.

심리전 부대가 1951년 10월 26일 작성한 제작보고서를 보면 이 삐라 영문 제목은 'Needless Death'다. 북한인민군을 타깃으로 제작한 한국어 버전 삐라에는 '개주검'이라는 자극적이고 직관적인 단어가 큼지막하게 박혔다. 모로 누워 죽은, 혹은 죽어가는 북한인민군 옆에 따발총(소련제 슈파긴 기관단총, PPSh-41)이 놓여있다. 왼쪽 가슴에 총상이 보이고, 왼쪽 다리는 군화가 벗겨진 채 맨발이 드러나있다. 쓰러지기까지 처절했던 상황을 짐작케 한다. 위에는 수심 가득한 여인의 오른쪽 얼굴이 크게 그려져있다. 반쯤 감긴 눈에서 눈물이 흘러 턱까지 내려온다. 인민군 병사가 죽어가며 떠올린 고향의 어머니 모습일까. 아니면 고향의 어머니가 전선에 보낸 아들을 생각하며 떠올린 불길한 상상일까.

정답은 삐라 뒷면에 있다. 화자는 '죽어가는' 병사다. 주인공은 "왜 내가 개주검을 해야만 하나"라고 통탄한다. 그리고 그의 입으로 이 삐라를 만든 미군 심리전 요원의 메시지를 대신 말한다. "동료들아! 개주검을 할 필요가 어데 있는가? 빨리 유엔측으로 넘어가라"

이 '개주검' 삐라는 한국전쟁기 미국 심리전의 제반 요소를 고루 담고 있다.

공산당 지도부에 대한 불신과 분열을 조장하고, 향수를 불러일으키고, 목숨을 건지는 게 가장 중요하다고 강조해 전의를 꺾는다. 그리고 귀순이나 투항을 유도한다. 이것이 이 삐라의 목적이다. 한국전쟁 때 미군이 뿌린 삐라의 대표 유형이다.

'개주검' 삐라 앞면. 죽어가는 병사와 수심에 찬 어머니 묘사가 매우 사실적이다. 1951.10.26.

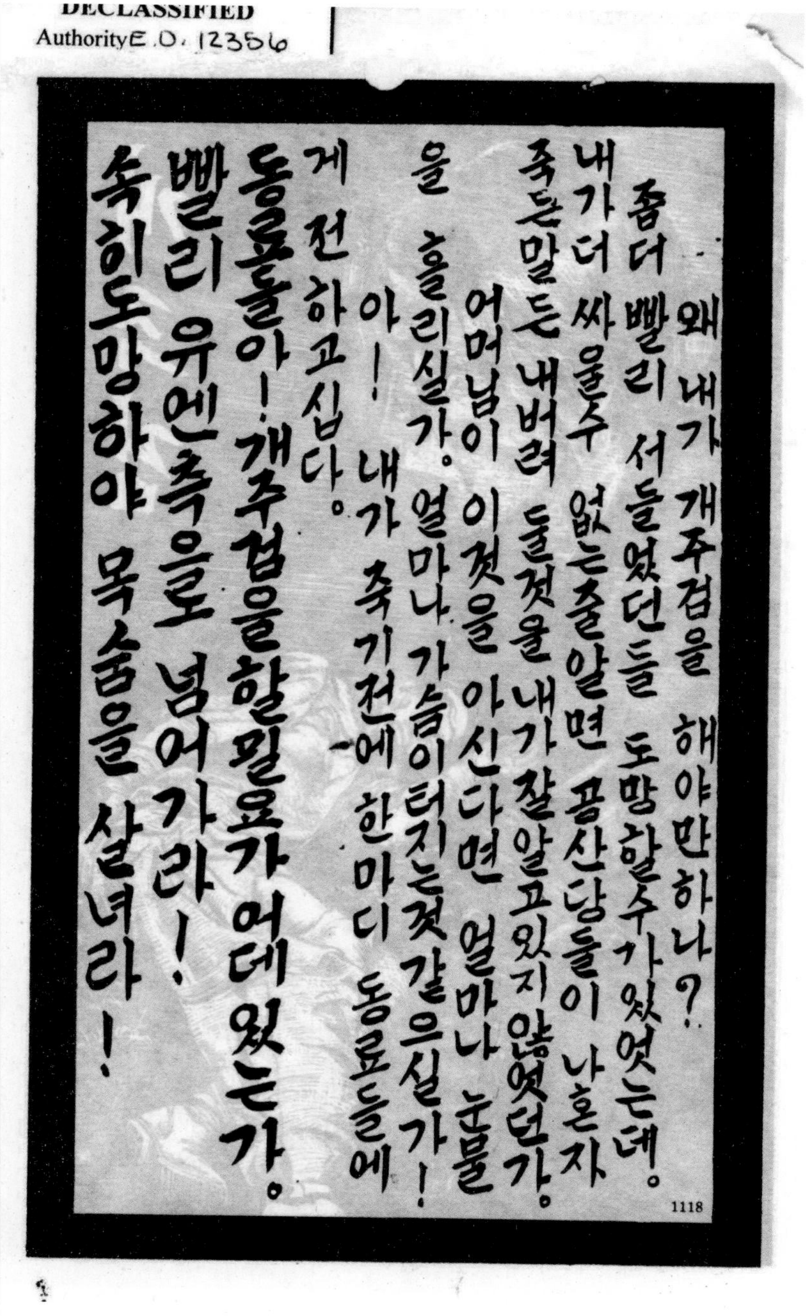

왜 내가 개주검을 해야만 하나?

좀더 빨리 서둘었던들 도망할수가 있었는데.

내가더 싸울수 없는줄 알면 공산당들이 나혼자

죽든말든 내버려 둘것을 내가 잘알고있지 않었던가.

어머님이 이것을 아신다면 얼마나 눈물

을 흘리실가. 얼마나 가슴이 터지는것 갈으실가!

아! 내가 죽기전에 한마디 동료들에

게 전하고십다.

동료들아! 개주검을할필요가 어데 있는가.

빨리 유엔측으로 넘어가라!

숙히 도망하야 목숨을 살녀라!

1118

'개주검' 삐라 뒷면

GENERAL HEADQUARTERS
FAR EAST COMMAND
Psychological Warfare Section
First Radio Broadcasting and Leaflet Group
APO 500

26 October 1951

LEAFLET: Needless Death

LANGUAGE: Korean

DESIGNATION: 1118 (Comp-flt No. 7099)

TARGET: NKA

REMARKS: This nostalgic leaflet is designed primarily for front line troops.

ART WORK: Front: Illustration of a wounded soldier. In a dream world representation is the face of a woman.

- -

TEXT:
Page 1: Illustration with the title "NEEDLESS DEATH"

Page 2: "Why must I be forced to die? If only I had acted earlier I could have escaped. When the Communists saw that I could no longer fight they left me to die alone.

If my mother knew, how she would weep. I wonder how they will tell her. How sad she will be.

Perhaps my comrades will be wiser than I was - if I could only tell them:"

"THERE IS NO NEED TO DIE

GO OVER TO THE UN LINES

E CAPE -- SAVE YOUR LIVES!"

J-7

1951년 10월 26일 미 극동군 총사령부 심리전부가 작성한 '개주검(Needless Death)' 제작보고서. 언어는 한국어, 타깃(심리전 대상)은 북한인민군(NKA), 비고란에는 "이 삐라는 주로 전선에 있는 병사들에게 뿌리기 위해 고안됐다"라고 적혀있다.

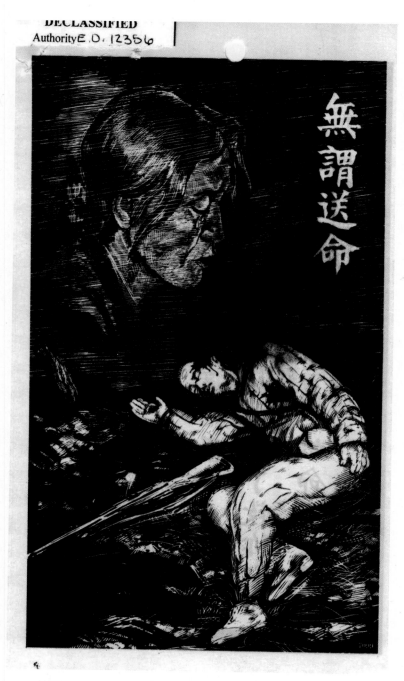

'개주검' 삐라 중국어 버전이다. 죽어가는 병사는 중국인민지원군 복장이다.
옆에 놓인 총은 따발총이 아니라 중국인민지원군이 사용한 53식 소총을 그린 것으로 보인다.

"개주검' 삐라 제작 과정은 미 육군이 만든 선전영상 "심리전: 한국전쟁에서의 전투 무기(Psychological Warfare: A Combat Weapon in Korea)"에 잘 나타난다.

Psychological Warfare

다음은 이 영상에서 '개주검' 삐라 제작 과정을 설명하는 내레이션 중 일부다.

"주제가 정해졌다. '헛된 죽음'이다. 화가가 극적인 작품을 그린다. 군인 아들의 무의미한 죽음을 떠올리며 슬픔에 잠긴 어머니 모습을 통해 주제가 생생하게 살아난다."

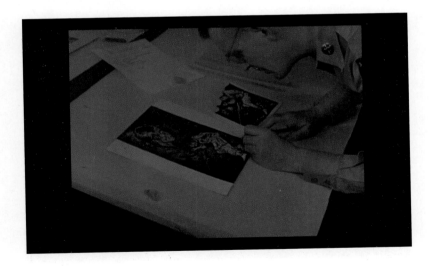

"이 삐라는 두 가지 버전으로 제작된다. 한국어와 중국어 버전이다. '오버레이' 기법으로 북한군과 중국군의 소총과 군복 차이를 세밀하게 묘사한다. 사소한 실수가 적의 비웃음을 사고, 여러 달 진행해온 심리전 효과를 망칠 수 있다."

"삐라 문안은 먼저 영어로 작성한 뒤 한국어와 중국어로 번역했다. 최종안도 다시 면밀히 검토했다. 미국이 단어 하나하나, 이미지 한컷 한컷에 얼마나 공을 들였는지 알 수 있다."

"미 극동사령부는 삐라를 일본 인쇄공장까지 동원해 대량으로 찍어냈다. 이렇게 제작한 삐라는 도넛 모양으로 쟁여 폭탄 안에 빼곡히 담았다. 5백 파운드 폭탄 한 발에 보통 삐라 22,500장이 들어갔다."

"삐라 수십만 장을 실은 B-29 폭격기는 일본기지에서 한국으로 날아가 삐라폭탄을 투하했다."

미군은 한국전쟁 때 '개주검', 즉 "의미 없는 죽음"이라는 콘셉트를 심리전에 널리 채택해 삐라와 선전 방송에 다양하게 활용했다. 물론 북한인민군도 '개주검'이라는 주제의 효용성을 그냥 지나치지 않았고 심리전에 사용했다. 아래 인민군이 만들어 뿌린 삐라는 북측 버전 개주검 삐라 중 하나다. 삐라 문안은 서로 베꼈다고 할 정도로 유사하다.

한국전쟁 당시 북한인민군이 제작해 '국방군' 쪽으로 뿌린 삐라다. '개주검'이라는 단어, 그리고 마지막에 "조선인민군 편으로 넘어오라!"는 문구가 "유엔 측으로 넘어가라"는 미군 삐라와 똑같다. '도플갱어'가 떠오를 정도다.

'개주검' 삐라 외에도 양측이 비슷한 소재로 제작한 삐라는 수없이 많다. 아예 복제한 듯한 삐라도 종종 발견된다. 미군과 북한군이 각각 제작한 아래 두 삐라는 언뜻 보면 같은 삐라로 보인다. 가운데 문구만 다르고 그림과 오른쪽 문구 "백성들은 곤궁에 빠져 있는데"는 동일하다. "공산당 관리는 환락에 취하고 있다"(미군 제작, 1181호)와 "리승만 역도들은 환락에 취하고 있다"(북한군 제작, 0904호) 등으로 부패의 주체만 다르다. 북한인민군이 제작한 삐라가 색감이 선명하고 표현이 좀 더 생생하다.

치열한 삐라 심리전

한국전쟁기 삐라 심리전은 '개주검'처럼 사기를 저하해 귀순을 유도하거나, 적진을 분열시키거나, 각자 체제를 선전하는 삐라를 만들어 상대 진영에 살포하는 데 그치지 않았다. 마군은 북측이 뿌린 삐라를 수거해 번역, 분석하는 작업도 했다.

1952년 8월 1일 자 'SECURITY INFORMATION(보안정보)'이라는 보고서에 '적군 삐라(ENEMY LEAFLETS)라는 제목으로 작성한 문서는 미군의 그런 정보 활동을 잘 보여준다.

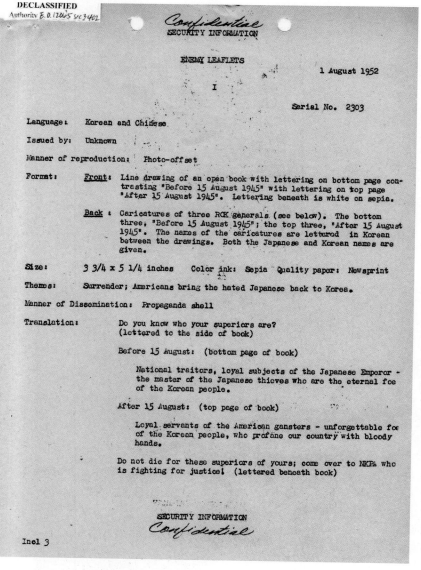

이 정보 문서는 '적군 삐라'가 한국어와 중국어 두 버전으로 제작됐고, 인쇄 방식은 포토 오프셋이며, 크기는 가로 3과 4분의 3인치, 세로 5와 4분의 1인치라고 보고했다. 또 잉크 색깔은 세피아 색이고, 삐라 재질은 'newsprint(신문 등을 만들 때 사용하는 대량 인쇄용 용지)'이며, 주제는 "투항 권유와 미국이 친일파를 한국에 복귀시켰다는 것"이라고 분석했다. 삐라 배포 방식은 포탄 탄피에 넣어 발사한 것으로 봤다. 삐라에 있는 텍스트도 영어로 번역해 실었다.

이 북한인민군 삐라는 한국군 수뇌부인 리종찬, 백선엽, 김석원 장군이 해방 전에는 일본군 장교였다는 사실 등을 알려 국군의 사기 저하, 내부 분열 등을 유도할 목적으로 제작했다.

보고서에는 북한인민군 삐라에 실린 리종찬, 백선엽, 김석원 등 한국군 수뇌부 3명의 한국 이름과 일본 이름(창씨개명)을 영어로 옮겨 적고, 수거한 북한인민군 삐라를 복사해 수록했다. 삐라 원본 이미지는 이 책 353페이지에 있다.

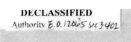

DECLASSIFIED
Authority E.O. 12065 Sec 3.402

Confidential
SECURITY INFORMATION

(2303 - Cont'd)

Translation: Back: Names lettered on caricatures:

Chong Chan Lee (Korean name) Former Chief of Staff of ROK
Zaosan Rinoyama (Japanese name)

Son Yop Paek (Korean name) Present Chief of Staff of ROK;
also led anti-guerrilla activities in North Korea.
Zenyo Mizuharam (Japanese name)

Sok Won Kim (Korean name) ROK General
Shakugen Kaneyama (Japanese name)

SECURITY INFORMATION
Confidential

02

미 극동사령부와 유엔군사령부

한국전쟁기 삐라 제작 주체는 미 극동사령부(Far East Command, FEC)와 유엔군사령부(UNC), 미8군 사령부, 한국군, 북한인민군과 중국인민군 등으로 분류할 수 있다.

이 가운데 일본 도쿄시 치요다구 유라쿠초 1초메 1번지 건물에 있던 극동사령부(FEC)와 유엔군사령부(UNC)는 대규모 심리전 부서를 두고 한국전쟁 초기부터 전후까지 다양한 주제로 삐라를 제작했다.

한국전쟁 발발 직후인 1950년 8월, 미 극동사령부와 유엔군사령부는 작전참모부(G-3) 산하에 심리전부(Psychological Warfare Division, PWD)를 조직하고 작전, 계획과 정책, 전술, 조사 평가과를 두었다. 1951년 1월부터 미 육군부는 심리전 특별참모부를 조직하고 심리작전, 특수작전, 준비국 등을 신설했다. 같은 해 4월 국무, 국방, 육군, 해군, 공군부와 CIA 등이 참여하는 심리전략위원회를 구성했다. 이 위원회는 각 정부 부처와 군부의 주요 책임자가 참여한 소위원회를 구성했다. 이처럼 미군의 심리전 조직은 군 최상층 사령부와 군단 예하 조직에 이르기까지 다층적이고 복잡하게 구성됐다.

미 극동사령부와 유엔군사령부는 주로 전략 단위 선전 삐라를 제작했다(한국의 미8군사령부는 전술 단위 삐라를 담당했다). 인쇄 공장은 일본 도쿄 인근 가나가와 나카하라中原구 모토스미요시元住吉의 인쇄단지에 몰려있었다. 심리전 삐라 인쇄는 제3 인쇄 중대(3rd Reproduction Company)가 담당했다.

이들이 만든 삐라 주제는 주로 적군 사기 저하, 투항 및 귀순 유도, 향수 자극, 분열 조장과 소련의 전쟁 책임, 체제 선전 등이었다. 남북한 주민을 대상으로는 폭격 경고, 유엔의 평화 수호 노력, 공산주의 비판, 원조와 재건 약속, 민족의식 고취 등을 담은 삐라를 만들어 뿌렸다.

지도의 붉은 원이 미 극동사령부와 유엔군사령부 심리전부가 있던 건물이다.

미 극동사령부·유엔군사령부 - 1950

영문 제목 'SAFE CONDUCT PASS', 한글 제목은 '귀순병환영증'으로 달린 이 삐라는 한국전쟁 발발 초기인 1950년 7월에서 8월경 미 극동사령부 심리전 부서가 제작해 북한 병사를 타깃으로 살포했다. 유엔군과 한국군에게 이 삐라를 소지하고 귀순한 북한인민군을 인도적으로 대우하라는 맥아더 사령관의 명령을 영문과 한글로 병기했다. 본문을 보면 미군이 전단을 뜻하는 'leaflet'을 '삐라'로 번역한 것을 알 수 있다.

미 극동사령부가 1950년 8월 15일 '심리전 활동'이라는 제목으로 본국 육군부 정보참모 앞으로 보낸 보고서에는 1950년 7월 3일 원격회의 논의에 따라 이 'SAFE CONDUCT PASS' 삐라 사본 10부를 보낸다고 적혀있다.

한국전쟁기 미군이 뿌린 대표적 삐라 유형 중 하나인 'SAFE CONDUCT PASS'는 이후 여러 버전으로 제작돼 '안전보장증명서' 등의 번역 제목으로 살포됐다. 지리산 지구 등의 빨치산 토벌 과정에서는 '귀순증', '귀향증' 형태로 나오기도 했다. 북한인민군과 중국인민지원군도 적의 투항이나 귀순을 유도하는 심리전 삐라를 '투항안전증' 등으로 이름 붙여 유엔군과 한국군에게 뿌렸다.

SAFE CONDUCT PASS(귀순병환영증) 삐라 앞, 뒷면. 1950.7.

MIS/PWB

APO 500
15 August 1950

SUBJECT: Psychological Warfare Activities

TO: Assistant Chief of Staff, G-2
        Department of Army
        Washington 25, D. C.

        In accordance with teleconference 031047Z July 1950, regarding your
DA-8, ten (10) copies of a leaflet to North Korean troops, prepared by
Psychological Warfare Division, G-2, FEC, with accompanying translations
are attached. These are for transmittal to Assistant Chief of Staff,
G-3, Attention: Chief, Joint War Plans Branch, the requester.

        For the Assistant Chief of Staff, G-2:

1 Incl: R. S. BRATTON
    Lflt 1-SNK-1   Colonel, GSC
    w/transl (10 copies)   Deputy

Memo for Record:
Orig ltr & 9 copies of Incl given to G-3
24 aug 50.   ss

1 plc, 1 encl

28241

미 육군부 정보참모 앞으로 '귀순병환영증(SAFE CONDUCT PASS)' 삐라 10부를 보낸다는 1950년 8월 15일 자 보고서다.
보고서에 적힌 원격회의를 했다는 일시 '031047z July 1950'은 미군의 시간 표기 형식이다. 1950년 7월 3일 줄루 타임, 즉 국
제표준시간(UTC) 10시 47분을 의미한다. 이에 따르면 해당 삐라는 1950년 7월에서 8월 초에 제작한 것으로 보인다.

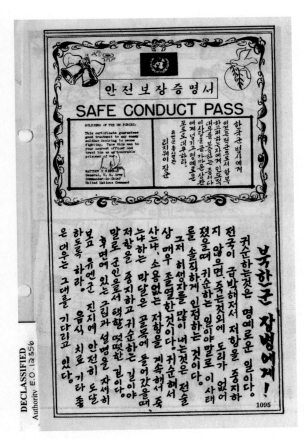

'SAFE CONDUCT PASS'가 '귀순병환영증'에서 '안전보장증명서'로 바뀌었다.

'안전보장증명서'
삐라 뒷면

영어, 한글, 중국어를 병기한 '안전보장증명서' 삐라

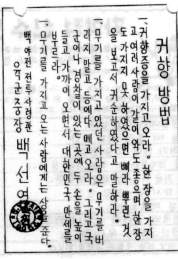

지리산 빨치산 토벌대 백선엽 명의로 뿌린 '귀향증' 삐라

북한인민군과 중국인민지원군도 미 극동사령부의 '안전보장증명서'와 유사한 삐라를 다양하게 만들어 뿌렸다. 적군의 귀순을 유도하기 위한 심리전 삐라로써 성격은 똑같다.

북한인민군이 국군을 상대로 뿌린 '안전보증서' 삐라

중국인민지원군이 국군과 유엔군을 타깃으로 뿌린 통행증(한자로 '투항증명서'로 기재) 삐라

미 극동사령부 심리전 부대는 제호가 있는 신문 형식 삐라를 지속해서 제작해 살포했다. 주로 북한군과 북측 주민을 대상으로 연합군 승전 소식 등 전황을 알리며 적의 전의를 상실케 하는 게 목적이었다. 〈낙하산뉴스〉와 〈자유세계주간신보〉가 대표적이다. 1950년 7월 17일 나온 〈낙하산뉴스〉 제1호(일련번호 2001)는 미 공군의 평양 폭격 소식 등을 다룬다. 총 80만 장이 살포됐다.

〈낙하산뉴스〉 제1호 1면(위), 2면(아래). 1950.7.17.

GENERAL HEADQUARTERS
FAR EAST COMMAND
Military Intelligence Section, General Staff
Psychological Warfare Branch
APO 500

NEWS SHEET: PARACHUTE NEWS

LANGUAGE: Korean

DESIGNATION: 1-NS-1

TARGET: Soldiers and civilians of North and South Korea.

REMARKS: To acquaint the people of Korea with up-to-date news and
                 developments regarding the Korean conflict.

ART WORK: None

SUMMARY:
  Page 1:   PUPPET CAPITAL BOMBED. Communists howling with helpless rage
                 because of highly successful American air raids on Pyongyang
                 and Yonpo airfields.

                 AMERICAN SOLDIERS AID KOREA. UN condemns North Korean aggres-
                 sion, and asks member nations to aid in driving out invaders.
                 American soldiers already taking up positions in Korea.
                 General Dean commanding.

                 MANY PUPPET SHIPS SUNK. U.S. and British ships establish
                 blockade of coast, and sink eleven Communist ships. Pusan
                 converted into great supply base, with troops and ammunition
                 pouring in.

  Page 2:   GOVERNMENT OF KOREA INTACT: Republican Government intact and
                 functioning in Taejon area. President RHEE in good health and
                 working for liberation of his people. National Assembly meet-
                 ing regularly.

                 MANY NATIONS SUPPORT KOREAN STRUGGLE. Democratic nations
                 throughout world are supporting UN action to aid ROK. Britain
                 and Australia have already sent ships and airplanes, and other
                 countries are sending more aid.

                 PUPPETS SPREAD FALSE RUMORS. Communists are spreading false
                 rumors of puppet troops landing at many points on south coast
                 of Korea. Truth is that American and British ships have
                 blockaded the coast and sunk every puppet ship coming in sight.
                 Puppet rumors designed only to make you lose hope. Do not be
                 deceived by them.

                 SEOUL WILL BE CAPITAL AGAIN. Aggressors will be driven out and
                 capital will be returned to Seoul. Be steadfast and await
                 happy hour of liberation.

미 극동사령부 심리전 부대가 작성한 한국전쟁 제1호 <낙하산뉴스> 제작보고서다.
남북한 주민과 군인 모두를 대상으로 제작했다고 적혀있다.

제호를 달고 신문 모양으로 제작한 미군 삐라 〈낙하산뉴스〉는 미군이 태평양전쟁 때 일본군과 일본 주민을 상대로 뿌린 삐라 제호를 그대로 가져온 것이다. 여기에 게재한 2차대전 시기 미군 〈낙하산뉴스(落下傘ニュース)〉는 1945년 5월 19일 배포된 제10호다. 주요 내용은 미군의 오키나와 상륙, 독일과 일본의 항복이 임박했다는 소식 등이다.

미군이 한국전쟁 때 뿌린 신문 형식 삐라 〈낙하산뉴스〉의 원조 격인 태평양전쟁 당시 〈낙하산 뉴스(落下傘ニュース)〉. 1945년 5월 19일 자 제10호다.

위: <낙하산 뉴스> 4호. 신형 35밀리 바주카포가 적 전차를 파괴하는 등 위력을 발휘했다는 내용 등을 실었다.

아래: <낙하산뉴스> 5호. 낙동강 전선까지 밀린 유엔군이 진주 지역에서 반격을 하고 있다는 등의 소식을 전한다.

군 점령 지역의 그 가련한 정형 … 공산 군 점령 지역에서부터 피

난 나온 사람들의 말을 들으면 공산 군에게 점령 당한

도시에 사는 불행한 사람들의 생활 정도는 일로 말할

수 없다 합니다 · 설혹 옷은 쌀값이 한 말에 얼마인지

원을 들 팔 프랑스그 돈을 가지고 사기 어렵다 합니다 · 공산

군 대들의 손아귀에 의해 농부 들의 쌀에 행사

간다 합니다 · 북한 옛날 식량이 딴 한계로 한데 미루

는 소련에로 가져간다 합니다 · 한인 농부들에게 부지

런히 농사를 하지만 결국은 반역배들이 모든 방석간은

것입니다 · 먹을 물 갖 짓도 졸렁 다한 합니다 · 설혹 서는 공

산의 잘 이 물한 지게 삼천 원 식 강 요한 다 합니다 ·

잇것은 마 찬한 양 만 날에게 대주한 대통을 끼치는 실레

입니다 · 그런데 쉴 온 우 · 엔 · 이 공산 전 례 식량

을 보급하는 결의 틀 계속 방행하 있는 것입니다 · 공산

주의 자들에 의 국제 전 십자 였 이 전 쟁민 들을 옹영 구조

품을 보닌는 것 가진도 못하게 한는 것입니다 ·

유 · 엔 : 공군 의 폭격 은 오직 인 공산 군 과 그 군 상 목 표

폭 격 : 옷 엔 공군의 폭격 긴은 복 한 옛 스는 평양

원산 · 함흥 · 흥남 · 진 남포 · 신 안 주 · 수 원 · 기 화 · 장 전 ·

곳정 과 기 타각 지 옛 스는 군 수송 장 · 군 수송 고 · 비 급 열 찰 를

본 슬 했 습 니 다 · 옷 엔 공군은 폭격 퇴 근처 건하는 일반

시민 엑 이 징 옛 서 옷 닌라 고 경 고 했 습 니 다 · 그러나 공산

저화는 이 경 고 를 일반 시민 이 듯지 못하게 방 행 하 고 있

는 것입니다 · ...... 받 드 시 싵에 아 시 려 고 ...... 남한 에게 선 연 해 믿

맥아 더 사령 부에 서는 매일 밤 10 시 부터 10 분 간 갖 정 확

한 뉴 스 를 방송 하 고 있 습 ...

5호 뒷면 마지막에 맥아더 사령부가 매일 밤 10시부터 30분간 '정확한 뉴스'를 방송하고 있다는 알림이 있다.

북한 병사 여러 분에게…

북한은 왜 여러케 군량이 줄어들에 곳 전차화 무력에 필요한 개술린이 점점 부족하여가는 것을 간단히 설명하면 유엔 연합군의 항공기 전선 보급을 차단동하여 밤낮으로 병양 장과 개술린 탕크와 군량 파괴환을 남녁으로 실어나르는 열차를 폭격하고있는 까닭임니다.

유엔 연합군의 항공기는 대부대의 격멸 되엇스그 더러는 어디인지 숨어버린 맛어졌 낙거 안는 모양임니다. 여러분의 군대는 보품을 보족 못밧어 전선에 보내는대로 큰 곤난 을 받고있슴니다.

이 곤난은 앞에 더욱 더 격심하게질 것임니다. 먹 진않앗고 잠자지못할 언제 죽엇지 모르는 위험 과 당 여러분의 동욱들은 한국을 남북 죽일 길을 뿐입니다. 여러분의 동욱들은 동쩨를 살상하고 벗과 인간을 파괴하는 통일 한단 말을하지만 동쩨를 살상하고 벗과 인간을 파괴하는 통일 전읫으 굿가갈를 통일하는법이 어딧슨단 말슴임닛가…

집에온 한국에 한우 전 나리님을하여 한사람으로 더 십행할때 임 우리나래를 더 약하게하기 더 피폐하는 이러한 전쟁임 시 지금옛무 앗임다.

온 정적인 대 우를 보 장합니다 유 연 연합군 여 총사령관 맥 앗 장군 온 ㄱ의 지도에 잇는 연 합 군 대에게 북한국군편병을 잘 대하라기 명령하였 슴다 • 유엔 연합군의 진급 협약 이라가 하는 각 명 국이 전셍 편병를 댓 한 인 제적 인법을 직히는 것임니 다 • 즉 이법 은 편병게 옷 식 을주그 장읫을자게하며 평안히

<낙하산 뉴스> (호수 미상). 1950.7.
뒷면에 미 공군기가 북한 군용열차를 폭격한 장면을 실었다.

쉬것하고 옛을 피할 처소를 장만 하였는가 등 인정 잇는 대원 한데로 봉장 하는 것임니다 • 특별히 말슴 할것은 일이 긋난는 대로 각자가 집으로 도라가서 우리 편으로 외십심요 부칠 업시 와서 죽느냐 • 살었 죄국 • 재건어 힘 쓰겟느냐 • 내길 중에 한나를 택하십십요 • 속히 작정하십십요 •

………

이 사진을 잘 보시면 당신네 내의 군량과 탄환이 점점 줄어지는 까닭을 알것임니다 • 이 사진 은 七월 三일 평양 외남편 남쪽 얼 틀실고 같은 열차를 폭탄이 넙쩌는 장면 임니다 • 전선 보족 각처엣 군용열차 백 갈읽은 끝이 되만 것임니다 •

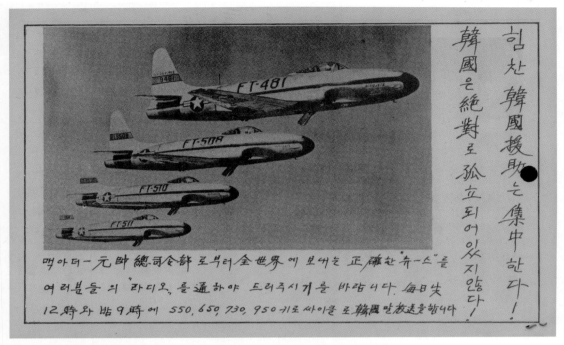

유엔군이 한국을 적극 지원한다고 선전하는 삐라. 하단에 맥아더 총사령령부가 송출하는 선전 라디오 방송 청취 방법을 안내하고 있다. "매일 낮 12시와 밤 9시에 550, 650, 730, 950 키로 사이클로 한국말 방송을 합니다"라고 적혀있다. 1950.8.

삐라 뒷면에는 맥아더 원수와 참모 사진을 실었다.

미 극동사령부가 북한군과 북한 주민을 대상으로 뿌린 삐라. 1950.8.

위: 왼쪽에 연합군의 선전 라디오 청취 방법을 안내하고 있다.

아래: 뒷면에는 네이팜탄 투하 사진을 싣고 북한 군대와 보급선에 매일 무슨 일이 일어나고 있는가를 보여준다고 적었다.

시간은 절박해 오고 있다

여러분을 대항하고 잇는 UN군은 매일 증강해가고 있다. 여러분들을 대해사용할 수많은 탱크와 대포는 매일같이 도착하고 있다.

하늘에는 매일 수많은 비행기가 늘머가고 있어 여러분의 군대를 소사하고 진지를 폭격하고 있다. 여러분에 대한 우리 UN군의 우세는 급속도로 강해지고 있다. 시간은 짧은 것이다. 사느냐, 죽느냐 이것은 여러분이 선택할 따름이다. 수많은 탱크와 대포 그리고 하늘을 덮을듯한 공습을 여러분이 대항할수는 없는 것이다. 여유가 있을때 항복해야 한다. 그리해야 여러분의 생명은 안전할 것이고 후한 음식과 많은 휴양을 받을수 있는 것이다.

UN군은 여러분에게 인도적인 대우를 할것을 보증한다. 여러분은 여러분의 가족을 도우며, 건전한 한국을 그리고자 의한국을 건설하기위해서 사러야 한다.

항복할 때는 지금이다

북한군을 겨냥한 삐라. 유엔군 전력이 매일 증강하고 있으니 항복할 때는 지금이라고 강조한다. 1950.8.
뒷면에는 사진을 배치해 강력한 군대에 대항하면 공군의 폭격과 기총소사, 맹렬한 포격을 받지만 항복하면 후한 음식을 먹고 치료를 받을 수 있다고 강조한다.

북한군 병사에게 '살 길을 택하라'라며 투항을 권유하고 있다. 1950.8.

뒷면에는 북한군 포로 사진을 배치하고 포로수용소에서 좋은 대우를 받을 수 있다고 선전한다.

죽엄과 곤난의 길로부터
음식과 좋은 대우의 길로

유엔군에게 포로가된 당신들의
많은동지가 유엔군의수용소에서
충분한음식과휴양을 받고 있읍니다

북한군 장병들에게!

강력한 연합군은 인천(仁川)에 상륙했다. 그들은 급속히 전진하고 있다. 그대들은 이 후면에 그려있는 지도를 보고 그대들의 정세가 이렇게 절망적이라는 것을 알수있을 것이다. 보라! 그대들의 보급선은 절단되었다. 그대들의 후퇴할길도 막혔다. 그대들의 증원병도 올수없이 되었고. 동시에 이북으로 후퇴 할 수도 없게 되었다. 五十九개국의 국제연합가맹국중의 쪽 그대들이 그대들을 대항하고 있는 한 그대들은 이 절대적인 압력에 패전하고 말 것이다. 연합군의 장비와 병력과 화력을 그대들은 절대로 당해낼수 없다. 대항 한다는 것은 죽엄을 게속해서 택하는 것이다. 그러면 그대들의 택할 길은 간단하다. 연합군측에 귀순하는것과 죽는길이 잇을뿐이다. 곧 연합군 측으로 커순하라. 그러면 음식도 후하게 주고 치료도 끗 해줄것이다.

연합군이 인천에 상륙했음을 알리는 삐라다. 보급로도 후퇴로도 차단됐으니 귀순하지 않으면 죽는 길밖에 없다고 선전한다. 인천상륙작전 직후 마산과 포항 지역에 있던 북한군을 대상으로 살포했다. 1950.9.

이 삐라 뒷면에는 인천에 연합군이 상륙했고, 남쪽을 점령한 북한군의 보급로가 차단됐음을 그림으로 보여준다.

연합군이 드디어 仁川에 상륙했다

대한민국 애국자여러분

강력한 연합군은 인천을 해방했고 급속히 서울로 맹진하고 있다. 또 연합군은 계속해서 상륙할 것이다. 연합군과 용감한 한국군은 억개를 나란히해서 싸워 한국을 외국노예화 하려는 공산주의자들을 격퇴하고 한국의 평화와 민주주의를 회복할 것이다. 이떠여러분들도 이 사명을 달성하는데 협력하시라. 해안에서 떠나시라. 만약 해안지대에서 도서에 갈실때 산길아 샛길로만 가시라. 공산피토에 일호라도 도음이되지않도록 주의하시라. 칭화하것 한국어 자유가 돌아오는날에 마즈하라. 하시라.

인천상륙작전 직후 북한군이 점령한 서해와 동해안 지역 남한 주민에게 해안에서 떠나라고 경고하는 삐라다. 1950.10.5.
뒷면에는 군대 차량, 피난민 이미지와 함께 주민에게 해안과 해안 연결 도로에서 떠나라고 경고한다.

서울 탈환!

맥아더장군은 서울을 공산피뢰군의 손에서 해방했다고 방금 발표했다. 오늘은 조국을 사랑하는 모든 한국인에게 기쁜 날이다. 적의 보급선은 끊어지고 퇴각할 길도 막혔다.

그러나 아직 전쟁이 끝난 것이 아니다. 용감한 대한민국군은 조국방위를 위해서 지금까지 구준히 잘 싸운 것과 같이 진격을 계속해야 한다. 적이 항복하거나 또는 전멸될 때까지 진격하라.

후방에 있는 일반국민은 모든 방법으로 한국군을 계속 원조해야 한다. 협을합해서 공산괴뢰군을 몰아내고 한국에 평화와 자유를 회복하자.

9.28 서울 수복을 알리는 연합군 삐라. 타깃은 수복 지역 민간인이다.

뒷면에는 연합군과 국군의 서울 탈환으로 북한군 보급로와 퇴각로가 절단됐다는 일러스트가 있다.

미 극동사령부·유엔군사령부 - 1951

신문 형식 삐라 〈자유세계주간신보〉

미 극동사령부 심리전 부대가 제작한 〈자유세계주간신보〉는 〈낙하산뉴스〉에 이은 두 번째 신문 형식 삐라다. 제호를 박아 제작했고 일방의 시각이긴 하지만 주요 소식을 담았다는 점에서 일반 삐라와 구분된다. 1951년 2월 23일 창간했다. 창간사에 "유엔의 자유세계가 한국 국민을 공산주의 노예세계에서 해방시킬 것"이라며 심리전 삐라로서의 성격을 분명히 했다.

〈자유세계주간신보〉
창간호. 1951.2.23.

제2면　자유세계주간신보　1951년二월二十三일

창간사

전 한국 국민에게 고함!

자유세계는 전진하고 있다!

대한민국 백이이 캐나다 불란서 멕시코 비률빈 씨리아 토이기 호주 영국

미국 콜롬비아 뉴질랜드 남아푸리카연방 서전 태국 애급 히랍 화란 인도

이상 자유세계의 많은 나라들은 대한민국의 전국민을 공산주의 노예세계로부터 해방시키려고 굳게 단결했다。

이 "자유세계주간신보"는 유엔의 자유세계와 공산주의 노예세계로 부터 나온 뉴-쓰를 요약하야 매주일 마다 여러분에게 보내드리려고 한다。

이 "자유세계주간신보"는 모든 진실을 보도하는 것이며 또한 무상으로 여러분에게 보내드리는 것이다。

여러분 자신을 위하야 공산노예세계의 비참생활과 자유세계의 평화롭고 안전한 생활을 마음대로 선택할수 있다。

자유구라파에 대한 아이센하워장군의 보고

(二월二일)

아이센하워장군은 오늘 미국회에서 서구라파동맹국은 공산주의를 막기위하야 두년 방위 계획을 확립하여야 할것이라고 말했으며 내년까지에 四十개 사단으로 편성된 군대를 계획하고 있으며 최후의군력에 대하여는 제한이 없을 것이라고 했다。

그후 아이센하워장군은 국회 외교위원회와 군사위원회 위원들과 두시간동안 비밀회의를 했는데 이회의가 끝난다음 위원들은 발표하기를 아이센하워장군은 구라파 방위군의 공국적 병력으로서 [五十]만명을 설정했는데 이것은 육시 편성될 四十개 사단의 약 배에 달하는 인원이라고 한다。

아이센하워장군은 "전쟁의 위협이 있는것은 사실이다。 오늘날 우리가 할일은 평화를 일우기위해 노력해야만 한다고 했다。

굶주림과 싸우는 유엔군

(二월八일)

UN군은 전선후방 수마일 지점에서 굶주림이라는 또하나의 적과 싸우기 위하여 매일매일 귀중한 시간을 바치고 있다。

UN군이 공산군을 격퇴하자 각각 자기 집으로 돌아오는 수 많은 한국 피난민들은 지금 유엔군 분견대로 부터 매일매일 식량의 공급을 받고 있다。

이 분견대는 수원(水原) 동쪽 약 五마일 지점에 있는 한 동리에 주둔하고 있는데 이 주변에 사는 주민들은 수마일 떨어진 곳에서도 쌀배급을 받으러 온다고 담당장교는 발표하였다。 그는 또 말하기를 「우리는 지금 一만여명의 주민에게 식량을 공급하고 있으며 그 수효는 나날이 붙어가고 있다」고 하였다。

쌀은 매일같이 천안(天安)군대정미소로 부터 화물 자동차로 수송되고 있다。

전화개통

(二월六일)

미국 전화전신회사는 한국과 전화개통을 시작했다。 통화는 부산한국전화교환국을 통하여 취급되고 있다。

천진(天津)에 있는 병원에 부상병만원

(대북, 台北, 방송-二월四일)

지난 토요일 중국 연합신문사가 보도한바에 의하면 천진(天津)에 있는 공중 사사병원은 한국전선에서 부상당한 중공군 부상자로 가득 찼다고 한다。 이 소식은 최근 홍공(香港)에서 드러왔는데 이 소식을 전한 자들의 말에 의하면 봉청(奉天)과 천진간을 통하는 기차에는 중공군 부상병이 가득 찼다고 중국 연합신문사는 보도 했다。

천진에 있는 병원은 만원이기 때문에 부상병들은 광서(広西)성과 중부 중국으로 이동한다고 한다。

책코슬로바키아에서 숙청 확대

(二월五일)

론돈에서 드러온 소식에 의하면 공산주의자는 새로 숙청을 전 책코슬로바키아에 자행하고 있는데 지난 수주일간에 판공리 二백四十여명을 추방했다고 한다。 그중 一백수명은 무역청 직원이오 그외 一백수명은 교육청 직원이라고 한다。

한편 오지리 수도 비엔나 고등외교관변칙이 발표한바에 의하면 책코슬로바키아의 고관 二명은 서부 오지리로 탈출했는데 그중 一명은 최근에 숙청을 당한 외상 "크레멘티스" 박사와 "도칼리" 박사인듯 한데 그들은 책코슬로바키아 공상당에서 추방을 당했던 것이다。

그외에도 중요한 망명객 二명이 탈출했다고 보도 됐는데 그들은 전 슬로바키아 지방 육군참모총장 "발러-나" 대좌와 사법청 차관 "수왔즈"라고 판명되였다。

불란서 공산주의 방위에 적극적 협력

(二월五일)

강력하고 재생된 불란서 수상 쁘레-풀레벤씨는 와싱톤에서 미국대통령 트루만씨와의 二일간 회의를 마쳤다。 회의를 끝마친후 이 두민주주의 지도자들은 공동발표를 했는데 소련이나 중공의 침략에 대해서 타협할수 없다고 했다。

이 성명은 권위있는 옵써버에 의하면 한국문제해결에 있어서 중공요구에 응하거나 독일을 중립시키자는 소련의 압력에 응할수 없다는 것을 의미하는 것이라고 했다。

아이센하워장군이 미국국회에 보고한데 관하여 풀레벤수상은 「나는 불란서로 하여금 특별히 유력하고 용맹한 아이센하워장군의 지도하에 담당한 책임을 완수할것을 확인한다」고 했다。

예방주사로 질병을 방지

(二월七일)

유엔보건당국자는 세계보건기구의 대규모적 예방주사계획은 전란중에 있는 한국에서 큰 질병을 방지 시켰다고 했다。

주한 세계보건기구의 단장 "쿠리턴"박사는 한국전재민에 대한 보건계획은 유엔군 통일사령부와 한국정부의 협조로서 성공했다는 감사의 뜻을 표했다。

똘똘이

창간호 2면에 창간사를 실었다. 하단에는 '똘똘이'라는 이름의 4컷 연재 만화를 게재했다.
미군 비행기가 연료 부족으로 불시착한 상황으로 시작하는 만화다.

<자유세계주간신보> 중국어 버전. 중국인민지원군을 타깃으로 제작, 배포했다.
한글판처럼 1면 좌상단 톱으로 맥아더 사진과 발언을 배치했다. 일부 지면 배치는 상이하다.

중국어판 2면 머리에는 한글판과 다른 사진 등을 배치했다. 하단 4컷 만화는 한국어 버전 만화 제목 '똘똘이'를 번역한 '총명소귀(똑똑한 아이)'라는 제목인데 내용은 한글판과 다르다.

캐나다의 중원부대가 비행기로 한국에 도착했다.

중공의 한국전쟁의 타격의 체험

철의 장막내의 생활

중공에 대한 원조하라는 요구

유엔 한국재건단 단장 내한

한국재건단

한국 해병대 원산 상륙

화란 한국에 원주에서 합류

버-마 한국에 전공

1951년 3월 2일 자 <자유세계주간신보> 제2호 2면이다. 하단에 연재만화 '똘똘이' 2편이 있다. 불시착한 미군 비행기에서 탈출한 미군 대위를 아이들이 숨겨주는 장면이 이어진다. "어린애도 공산군과 싸운다"거나 "쉬 빨갱이다" 같은 대화가 나온다.

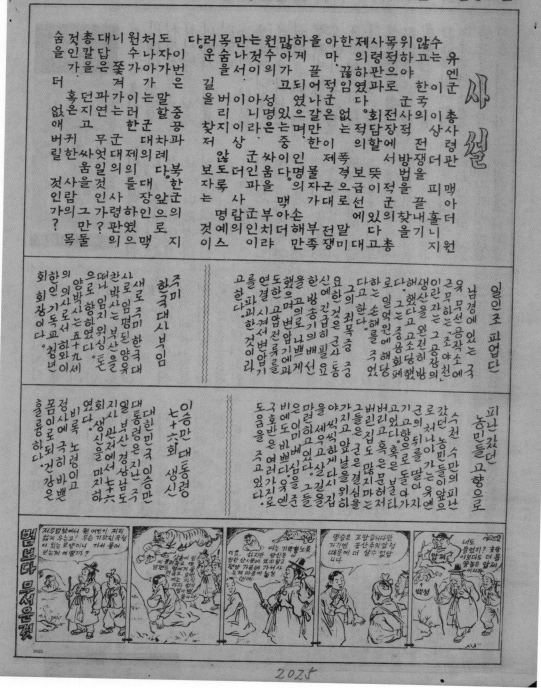

1951년 3월 30일 자 <자유세계주간신보> 2면이다. 이번 호에는 사설이 2면에 실렸다. 하단에 '범보다 무서운 것'이라는 제목의 5컷 만화가 눈에 띈다. 삼촌, 남편, 자식이 범에 물려 죽은 여인이 나와서 범보다 무서운 건 공산주의 압정이라고 말한다.

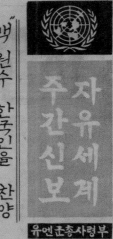

자유세계주간신보

유엔군총사령부

"맥"원수 한국인을 찬양

"맥아더"원수는 지난 주일 와싱톤 미국 국회 상하원 연석 회의에서 역사적인 연설을 하였는데 그 중에서 한국인을 크게 칭찬하야 다음과 같이 말하였다.

"오늘날까지 모든 파는 온 세계에서 오는 한국민의 인내력과 용기는 오직 공산주의와 싸워오나 한국이 있을 뿐이다. 그들은 노예가 되기 보다는 차라리 죽는 편이 낫다고 하는 것을 걸고 오직 공산주의와 싸워온다. 한국인의 인내력과 용기는 도저히 붓이나 입으로 그릴 수 없는 것이다. 그들은 노예가 되기 보다는 차라리 죽는 편이 낫다고 하였다."

미국 한국에 원조물자를 구입

미국 한국 원조물자를 구입

미국은 한국의 경제협조처에서 있는 물품을 "유엔" 기물 간판으로 사는 한편 일본을 돕는 경제협조를 와싱톤에서...

또 사흘만에 한국으로 보내어 줄 것이며 물자들을...

유엔 병사와 중공군 포로.

카나다 증원부대 출발

추수명 이상의 지원 병력으로 된 카나다 "유엔"군에 참증가원...

부대는 주일 한국 전선에서 출발 공간가원...

하난군 주의는 금번 증원부대는...

킹 행정 준장 지휘하의 제二효려 단인바, 여섯...

대와 동안의 격렬한 이은 뒤... 카나다의 명예를 옹호하...

우리는 카나다의 명예를 옹호하고, 유엔군과 더부러 한국을 공산주의와 더부러 침략으로부터 방위하기 위하야 참렬한 전쟁에 참렬할 준비가 되어 있다.

공산군 사상 八十여만명

어제 당지의 보도된 바에 의하면 한국 전쟁이 시작된 뒤로부터 금년 四월 一일까지 공산군 "유엔"지의...

장면에게 보도된 바다수 사상자수가 四월 一일까지 공산군...

지난 四월 一일까지 공산군사상자수가 八十여만명에 달한다...

측에 의하면 공산군 사상자수는 八十七万一千九百三十九명에 달하였다...

고수는 萬八百六十六명이고, 북한군과 중공군이...

九万四千五五百라고 한다. 한편 중공군의 포로는 九千九百三十五명이다...

영국도 한국에 증원부대 파견

영국도 한국에 증원부대 파견

지난 주일에 영국 군대 일대대가 한국 전선을 향하야 출발하였으며 곧 뒤따라 또 한 한홍군...

공산군 피해 격심

공산군은 오래 동안 예측되던 산기 춘기 공세가 지난 공격작전으로...

자 안경에 중에 공군작전되었는데 시작된다는...

일공군화가비 행기 대포로 말...

하루 마다 여러 며칠 손해를 입었다고 한...

미군 로고 하수 남어리가비...

한 다...

남아메리카에도 공산당 분열

공산당의 집안 싸움은 퍼불같이 온 남아메리카로 그밤탕리카 칠...

"모스코"선을 유로 공산당머리가...

냇당는 세리로 사람을 쫓겨낫 것이라 또 몇...

중공산주의 민족주의 자들이 차츰 이해관계를 따라...

위원회에 말려나라 공산당 중앙에...

고중히 한 다 공산주의 이민족주의 관계보다는...

64

미 극동사령부 심리전 부대가 북한 민간인을 타깃으로 비행장 주변에 접근하지 말라고 경고하는 삐라다. 1951.6.

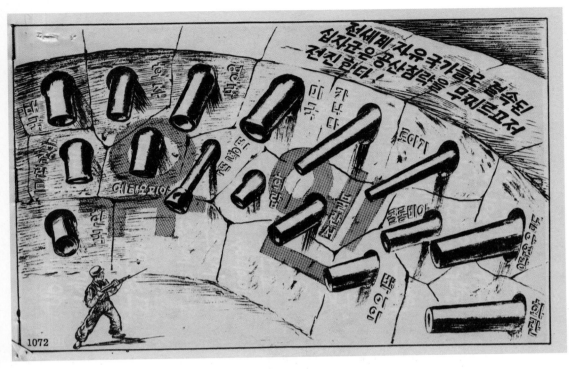

유엔 16개 참전국의 연대와 압도적 힘을 선전하는 삐라다. 1951.6.

미 극동사령부 심리전 부대가 북한인민군 장교를 타 깃으로 투항을 촉구하는 선전물이다. 부하를 헛된 죽 음으로 몰아넣지 말라고 강조한다. 1951.6.

뒷면에는 북한군 병사들이 안전보장증명서(SAFE CONDUCT PASS)를 들고 투항하는 그림이 담겼다.

북한군 장교 투항 촉구 삐라의 중국어 버전이다. 한글 대신 중국어를 넣었을 뿐만 아니라 장교 복장도 중국인민지원군 복장으로 바꿨다.

아래는 중국어 버전 삐라 뒷면이다.

1074

한국전쟁 개전 1주년을 맞아 미 극동사령부 심리전 부대가 제작 살포한 삐라. 김일성 모습의 캐리커처가 해골 병사들 앞에서 연설하고 있다. 해골 사이에 있는 노인, 해골을 핥는 개를 묘사한 디테일이 눈길을 끈다. 1951.6.

이 삐라 뒷면에는 칠판 판서 이미지로 개전 1년간 공산군의 전과를 제시해 앞면의 시각 효과를 극대화한다.

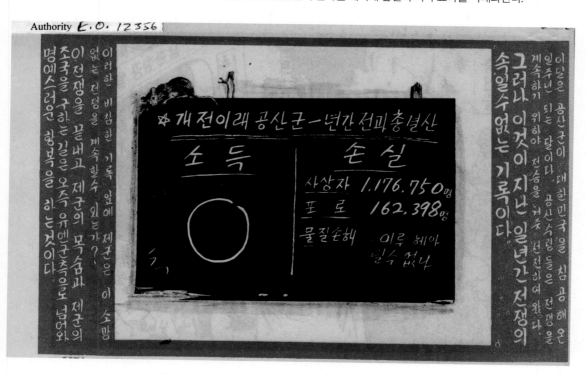

"아들아 돌아오거라!" "중추절 달이 유난히 밝습니다. 아내와 부모님이 그립습니다"
중추절을 앞두고 중국인민지원군을 타깃으로 향수를 자극하는 삐라. 1951.9.

뒷면에는 '중추곡'이라는 제목으로 노래 가사 형식의 선전 텍스트를 게재했다.
첫 소절은 "8월 15일(음력)은 달이 밝아 집집마다 월병을 먹는다. 공산당이 싫다. 군대에 가라고 쫓아온다"이다.
2,3 소절도 "많은 전우가 소련의 대포 사료가 됐다"는 등 전의를 꺾는 메시지와 투항을 촉구하는 내용을 담았다.

북한군과 중국인민지원군이 소련 제국주의가 일으킨 전쟁에 동원됐다는 선전으로 분열을 노리고 전의를 꺾기 위한 삐라. 1951.8.

북한군 병사는 각자
음 질문에 대답해 보라
그대는 어느 나라에 충성을 받
어야 하는가?
그대의 조국은 한국이 아닌가?
그런면 왜 그대의 지도자들은 쏘
련이 그대를 전쟁에 몰아 넣
도록 허락하는가?
왜 그대는 쓸데없는 동족살
상의 싸움을 하는가?
그대가 쏘련제국주의를 위해
싸우다가 생명을 잃게 되면
그대의 가족과 조국에게 무
슨 유익이 있겠는가?

중국인민지원군을 겨냥한 중국어 버전이다. 나라 이름을 '북선' 대신 '북한', '한국' 대신 '대한'으로 표기했다.

每個中國士兵都要解答的問題：

你忠於那一國？

你不是忠於中國嗎？

那末，為什麼你的領袖們讓你被蘇聯趕去打仗呢？

你為什麼要在外國打的一個和中國沒有關係的仗呢？

你如果為蘇聯帝國主義打仗打死了這與你的家庭和中國有什麼好處呢？

72

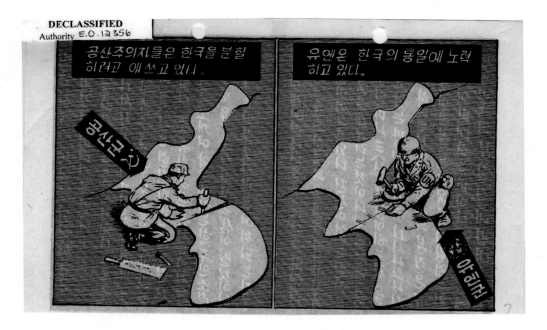

공산군은 정전회담에서 휴전경계선을 38선으로 하자고 주장하며 사실상 한반도를 분단하려 하고,
유엔군은 통일을 위해 노력한다는 선전 삐라다. 1951.8.

북한인민군에게 유엔군 포격의 공포를 심어 사기를 저하할 목적으로 고안한 삐라다. 1952.8.24.

한 인민군 병사가 포격 표지판 위에서 공포에 떨고 있다. 뒷면에는 포탄 구덩이와 잔해만 남은 이미지를 담았다.

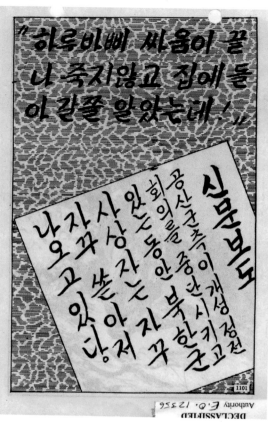

개성 정전회담 교착 책임을 북측에 돌리는 삐라다. 1951.8.

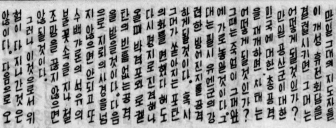

휴전회담이 깨어진다면 그대들은 어찌될 것인가

주간신보 자유세계
유엔군 총사령부

유엔의 최후목적은 한국의 통일 자유

유엔의 한국구조

종업원 격려

미 극동사령부는 1951년 8월 정전회담이 교착 상태에 빠지자 그 책임을 북측에 돌리는 선전 삐라를 제작, 살포했다.
1951년 8월 17일 자 <자유세계주간신보> 25호가 그중 하나다. 1951.8.17.

2046
SD-8

편지지형 삐라다. 미 극동사령부 심리전부는 삐라 제작보고서에서 직접적인 프로파간다에서 벗어나 적에게 보다 친근한 이미지를 주고, 이후 직접적 선전활동에 더 잘 반응하도록 이 삐라를 제작한다고 밝혔다. 1951.10.1.

이 삐라를 주운 북한군 병사에게 집에 편지 보낸 지가 얼마나 됐냐고 물으며 아랫부분을 찢어 편지지로 사용하라고 한다. 1951.10.1.

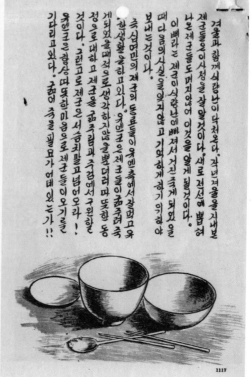

식량 부족에 시달리는 북한인민군을 겨냥해 투항을 유도하는 삐라. 1952.10.12.

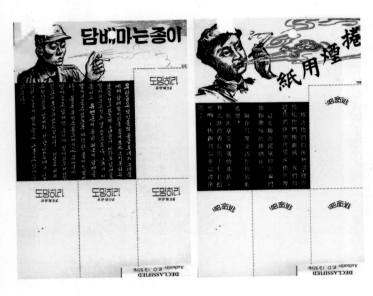

담배말이형 삐라. 편지지형 삐라처럼 북한 인민군에게 친근한 이미지로 다가가기 위한 목적으로 제작했다. 1951.10.18.

오른쪽은 중국어 버전이다. 중국인민지원군 모습을 넣었다. 1951.10.18.

DECLASSIFIED
Authority E.O. 12356

GENERAL HEADQUARTERS
FAR EAST COMMAND
Psychological Warfare Section
First Radio Broadcasting and LeafletGroup
APO 500

18 October 1951

LEAFLET: Cigarette Paper Leaflet

LANGUAGE: Korean

DESIGNATION: Serial No. 1111 (Comp lflt no. 7092)

TARGET: NKA

REMARKS: This is the second in a series of leaflets, again gratuitous in nature. Its purpose is to establish favorable contact with the enemy so that he will be more receptive to our direct propaganda.

ART WORK: Front: Spot sketch of the head and shoulders of a man smoking. The rest of the leaflet is lined off into sections the size of cigarette papers.

TEXT:
Page 1: Spot illustration and individual cigarette paper.

Text: Perhaps your own supply serivces are not providing you with cigarette paper. We know that you have been using leaflets to roll your cigarettes.

This is a special cigarette paper leaflet prepared for you by the United Nations Command.

The United Nations gives you plenty of ready-made cigarettes.

ENJOY LIFE and plenty of cigarettes away from the war by coming over to the UN side.

Printed on each cigarette paper are the words:

"Escape to the UN lines."

J-5

1951년 10월 18일 작성한 '담배말이형' 삐라 제작보고서다.

DECLASSIFIED
Authority E.O.12356
整隊的韓共士兵，在他們軍官帶領下，都投誠到聯軍方面來了。
中共士兵們！你們的同伴北韓共軍，正在離棄你們。韓共知道在打敗仗了，所以逼着你們去替他們死。
怎麼會事呢？原來，北韓第五軍團的士兵，整班整排的，都拋棄了這個無為的戰鬭，投誠到聯軍這面來了。要繼續打下去，現在中共的六十八軍，在替北韓第五軍團打仗。
7100

成千成萬投誠的韓共士兵，平安地在聯軍陣線後面，這是他們的一小部份。
這些北韓士兵，很聰明的，拋棄了戰鬭，投誠到聯軍這面來。這裏他們是沒有戰爭，並且正渡着舒適的生活和享受同伴的熱情。
中共士兵們！你們怎麼辦呢？
救你自己的命！逃吧！
7100

DECLASSIFIED
Authority E.O.12356

GENERAL HEADQUARTERS
FAR EAST COMMAND
Psychological Warfare Section
First Radio Broadcasting and Leaflet Group
APO 500

19 October 1951

LEAFLET: NKA Defection

LANGUAGE: Chinese

DESIGNATION: Serial No. 7100 (Comp lflt no. 1119)

TARGET: CCF

REMARKS: Leaflet's purpose is to split CCF and NKA forces by telling Chinese troops that Korean mass desertions are forcing the Chinese troops to carry the brunt of battle.

ART WORK: Front - Picture of small group of soldiers surrendering.
Back - Pictures of large groups of prisoners in a PW camp.

- -

TEXT:
Page 1: Picture of NKA soldiers surrendering.
Caption: A unit of Korean Communist soldiers, led by their officers, going over to the UN lines.

Text:
Your Korean comrades are leaving you, Chinese soldier. They realize they are losing the fight and are forcing you to die in their place.

Where and how? Entire platoons and many squads of the 5th NKA corps have given up the futile fight and gone over to the UN lines. To carry on the battle, the 68th CCF Army now fights in place of the 5th NKA Corps.

Page 2: Pictures of prisoners in a PW camp.
Caption: Here are a few of the thousands of your Korean Communist comrades safe behind the UN lines.

Text:
These soldiers were wise to stop fighting and go over to the UN lines. Here they enjoy life and comradeship away from the war.

WHAT ABOUT YOU, CHINESE SOLDIER?
ESCAPE--SAVE YOUR LIFE --!

J-1

왼쪽 위: 미 극동사령부가 북한인민군이 집단 투항하는 사진을 활용해 제작한 심리전 삐라다. 중국인민지원군을 타깃으로 뿌린 이 삐라는 북한인민군 제5군단 병력이 상당수 투항함으로써 중국인민지원군 68군이 그 자리를 메워야 한다고 선전하고 있다. 이를 통해 북한군과 중국군의 분열을 유도한다. 1951.10.19.

오른쪽 위: 뒷면에는 유엔군 포로수용소 장면을 담았다.

왼쪽: 미 극동사령부가 1951년 10월 19일 작성한 중국어 버전 '북한군 투항' 삐라 제작 보고서. 중국인민지원군과 북한인민군의 분열을 목적으로 한다고 밝혔다.

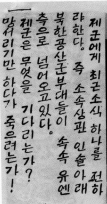

부대장 인솔아래 유엔측으로 넘어가는 북한공산군부대.

제군에게 최근소식 하나를 전하라한다. 즉 소속상관 인솔아래 북한공산군부대들이 속속 유엔측으로 넘어오고 있다. 제군은 무엇을 기다리는가? 망서리기만 하다가 죽으려는가!

도망할때는 지금이다!

유엔측으로 무사히 넘어오는 수많은 동료들을 보라

목숨에 위험한짓을 왜 하는가? 무엇을 위해? 누가 왜 중국공산군 +여금 제군의 동료들이 유엔측으로와서 아무걱정없이 지나고 있는것을 아는가 모르는가?

GENERAL HEADQUARTERS
FAR EAST COMMAND
Psychological Warfare Section
First Radio Broadcasting and Leaflet Group
APO 500

19 October 1951

LEAFLET: Surrender Appeal

LANGUAGE: Korean

DESIGNATION: Serial No. 1119 (Comp lflt No. 7100)

TARGET: NKA

REMARKS: Chinese version of this leaflet was split type propaganda. This version employs the band wagon technique to induce surrender.

ART WORK: Front - Picture of a unit of NKA soldiers, surrendering.
Back - Pictures of large groups of prisoners in a PW camp.

- -

TEXT 1:
Page 1: Picture of NKA soldiers surrendering.
Caption: A unit of Korean Communist soldiers, led by their officer, going over to the UN lines.

Text:
Here's news for you, soldier! Recently, entire platoons and squads of the NKA, led by their officers, have gone over the the UN lines where they now enjoy life away from the war.

Why wait? Tomorrow you may not be alive to think about this.

Page 2: Pictures of prisoners in a PW camp.
Caption: Here are a few of the thousands of your comrades safe behind the UN lines.

Text:
Stop risking your life and serving under the Chinese Communists. Thousands of your comrades now enjoy life in safety behind the UN lines.

SAVE YOUR LIFE -- ESCAPE NOW!

J-1

위: 북한인민군 집단 투항 이미지를 활용한 한국어 버전 삐라. 북한인민군을 타깃으로 한 이 한국어 버전은 동일 이미지를 사용한 중국어 버전과는 목적이 다르다. 한국어 버전은 북한공산군 부대가 속속 유엔군에 투항하고 있다며 다른 북한군의 투항도 유도하는 이른바 '밴드웨건 효과'를 노렸다. 1951.10.19.

왼쪽: 미 극동사령부가 1951년 10월 19일 작성한 '밴드웨건' 삐라 제작보고서. 중국어 버전은 북한인민군과 중국인민지원군의 분열을 유도하는 프로파간다인 반면 한국어 버전은 북한인민군의 추가 투항을 유도하는 이른바 '밴드웨건' 기법을 동원했다고 말한다.

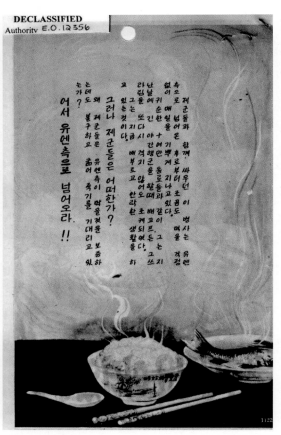

북한인민군을 타깃으로 뿌린 삐라. 유엔군에 투항하면 밥을 배불리 먹을 수 있다고 선전한다. 1951.10.23.

GENERAL HEADQUARTERS
FAR EAST COMMAND
Psychological Warfare Section
First Radio Broadcasting and Leaflet Group
APO 500

23 October 1951

NLEAFLETI Food Theme

LANGUAGE: Korean

DESIGNATION: 1122 (Compl Lflt. 7102)

TARGET: NKA

REMARKS: Second in a series

ART WORK: Front: Soldier eating bowl of rice
          Back: Dishes of food with chopsticks

- -

TEXT:
Page 1: Illustration with the title Why BeHungry?

Page 2: Text -

This Korean communist soldier, now safe behind the UN lines, enjoys hot rice with side dishes, each day. Along with thousands of his comrades he no longer suffers hunger during the long night marches he once had to make.

With his stomach filled with hot rice and vegtables he now enjoys life away from the war.

But what about you, soldier?

Why be hungry this fall when the UN offers you an abundance of good food?

SAVE YOUR LIFE--ESCAPE TO THE UN LINES

J-4

미 극동사령부 심리전부 라디오방송&삐라단은 굶주림과 음식을 주제로 한 삐라를 다수 제작했는데
이 삐라도 그중 하나라는 설명이 1951년 10월 23일 자 제작보고서에 기재돼있다.

1951년 10월 24일 '유엔의 날'을 맞아 미 극동사령부 심리전 부대가 북한군과 북한 주민을 타깃으로 뿌린 삐라다.
뒷면에는 '우화 기법(fable technique)'을 사용해 '유엔의 날'이 제정된 배경을 설명한다.

북한인민군과 북한 주민을 타깃으로 한 삐라. 공산당에 협조하지 않는 농민이 진정한 애국자라는 선전을 담았다.

그시절

유엔은 그리운 그시절을 회복하기위히야 힘쓰고있다

1124

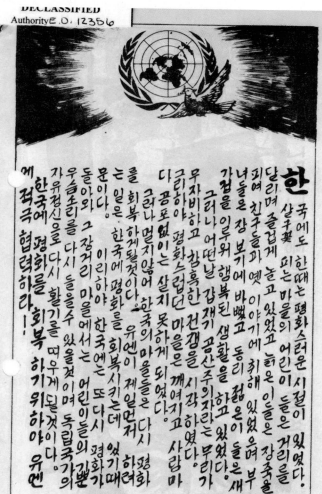

한국에도 한때는 평화스러운 시절이 있었다. 살구꽃 피는 마을의 어린이들은 거리를 피여 친구들과 즐겁게 놀고 있었고 늙은 이들은 장죽을 옛이야기에 취해 있었으며 동리 젊은이들은 새벽녘들을 일위 행복된 생활을 하고 있었다. 그러나 어떤 날 갑자기 공산주의 갱을 깨닫기 시작하였다. 무자비하고 감혹한 살기가 다공포없는 살지 못하게 되었다. 그리어 평화스럽던 마을은 점은 이들의 새 그러나 멀지않어 한국의 마을들은 또다시 회복하게 될것이다 유엔이 제일먼저 한국에 평화를 회복시키는데 있었기때문이다. 한국에 평화를 회복시키는 우슴소리를 다시 들을수 있을것이며 독립국가의 강화 돌와 그장거리에서는 어린이들의 평화와 문이다. 을 회복하여 가유정신으로 다시 활기를 띄우게 되며 독립국가의 가우게 되야 유엔에 적극에 협력하라! 한국에 평화를 회복하기위하여야 유엔

1124

유엔군이 유엔 친화 프로그램의 일환으로 만든 4종의 삐라 중 하나다. 북한인민군과 북한 주민을 타깃으로 제작했다.

유엔군 측과 정전협상을 진행하고 있는 북한인민군이 겉으로는 평화를 내세우면서, 뒤로는 민간인을 학살하고 쓸모없는 전투를 계속해 인명 피해가 늘어난다는 내용의 4컷 만화다.

유엔군이 아이의 고장난 장난감을 고쳐주는 설정. 북한인민군과 북한 주민을 타깃으로 제작한 삐라다.
뒷면에는 유엔군이 한국 평화, 통일, 재건을 돕고 있다는 내용을 실었다.

미 극동사령부 심리전부는 선전 삐라에 단군 이미지를 종종 사용했다.

뒷면에는 단군 시조가 그 자손이 한민족으로 오래 살아가길 바랐듯이 유엔도 그렇다는 메시지를 담았다.

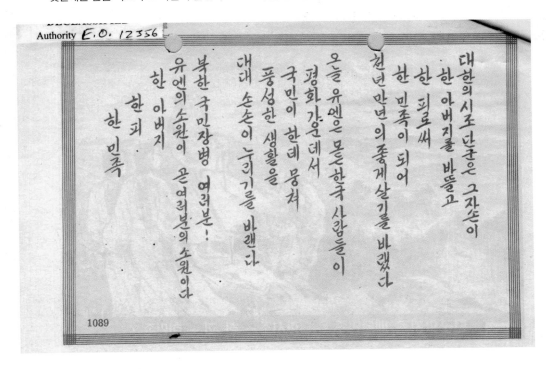

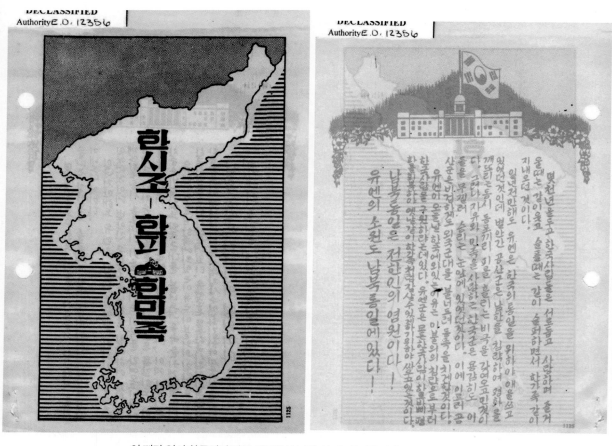

이 삐라 역시 한국인이 단군 시조에서 나와 한 피, 한민족이라는 점을 강조한다.
미 극동사령부 심리전부가 제작한 유엔 통일 시리즈 삐라 중 하나다.

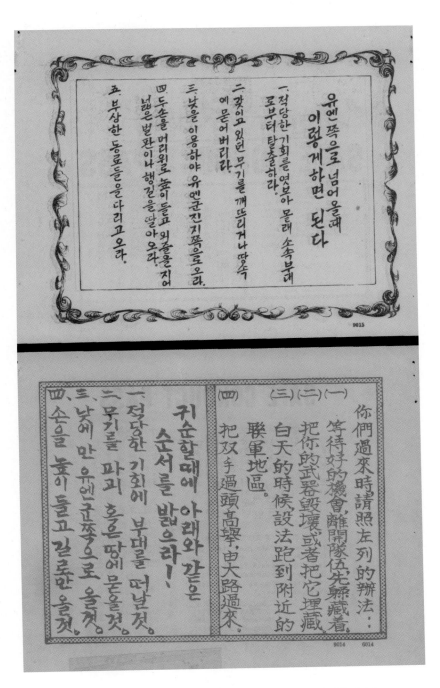

유엔군쪽으로 넘어 올때
이렇게 하면 된다

一. 적당한 기회를 엿보아 몰래 소속부대
로부터 탈출하라.

二. 갖이고 있던 무기를 깨뜨리거나 땅속
에 묻어버리라.

三. 낮을 이용하야 유엔군진지쪽으로 오라.

四. 두손을 머리위로 높이 들고 외줄을 지어
넓은 발판이나 행길을 딸아 오라.

五. 부상한 동료들을 다리고 오라.

你們過來時請照左列的辦法⋯

(一) 等待好的機會,離開隊伍,先要藏着,
把你的武器毀壞,或著把它埋藏

(二) 白天的時候,設法距到附近的
聯軍地區。

(三) 把双手過─頭高舉,由大路過來。

(四)

귀순할때에 아래와 같은
순서를 밟으라!

一. 적당한 기회에 부대를 떠날것.

二. 무기를 파괴 혹은 땅에 묻을것.

三. 낮에 만 유엔군쪽으로 올것.

四. 손을 높이 들고 길로만 올것.

북한인민군이나 중국인민지원군을 타깃으로 귀순 요령을 기재한 삐라다.

북한인민군 포로 사진으로 투항을 유도하는 삐라다.

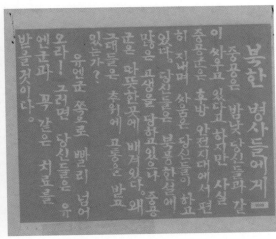

북한인민군 병사를 타깃으로 뿌린 삐라. 중국인민지원군은 후방 안전지대에서 편히 지내고 있다며 양측 분열을 유도한다.

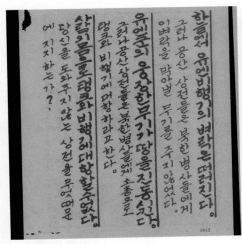

북한인민군과 중국인민지원군의 분열을 조장하는 또 다른 삐라.

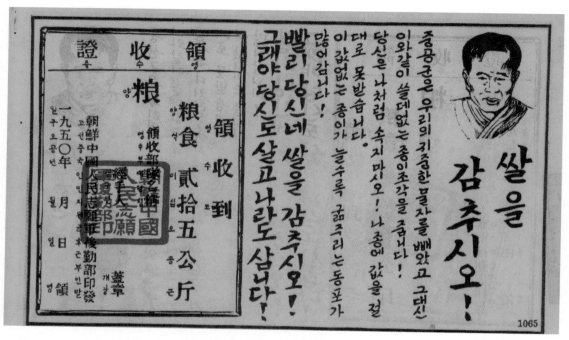

북한 주민과 중국인민지원군 간 분열을 조장하는 삐라다.
중국인민지원군이 민가에서 쌀을 받아가며 발행해주는 영수증에 속지 말라는 내용이다.

중국인민지원군에게 식량을 내주는 바람에 먹을 게 부족해진 북한 가정을 그렸다. 그릇에 가득 담긴 영수증 더미, 젓가락으로
영수증 한 점을 집어든 아내, 절망한 표정의 가족 이미지를 결합해 중국군에 대한 북한 주민의 비협조를 유도한다.

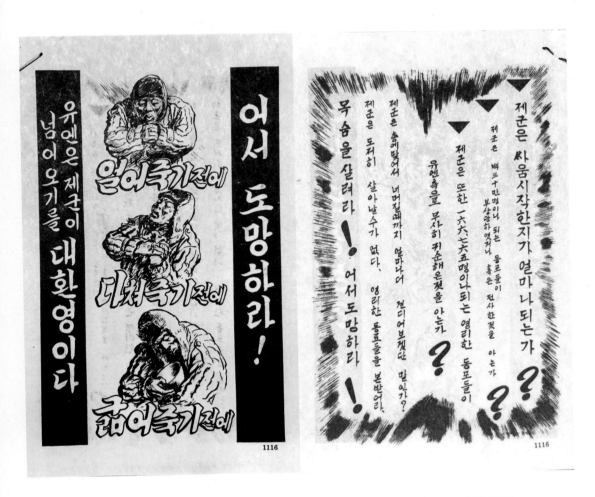

죽기 전에 빨리 귀순하라는 삐라. 겨울이 다가오는 시점에 적의 사기를 저하할 목적으로 만들었다.

94

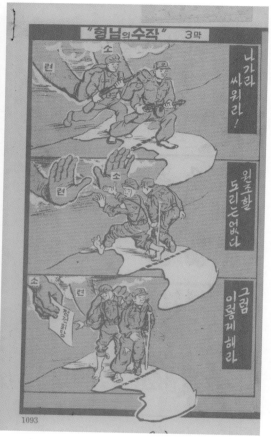

미 극동사령부가 북한, 중국, 소련 등 공산진영의 분열을 노리고 제작한 삐라. 소련을 형님으로 지칭하며,
소련이 남침을 사주했으나 원조는 하지 않고 시간을 벌기 위해 정전회담을 하도록 배후 조종했다는 선전을 하고 있다.

북한 주민에게 유엔군 공중 폭격이 집중되는 철로나 교량 근처에 가지말라는 경고 삐라다.

뒷면의 텍스트에는 단순한 폭격 경고 이외에 "단군 자손이 왜 소련을 위해 죽는단 말인가" 등 반소 메시지도 있다.

6010

함포 사격 표적이 되는 부두, 해안 등에서 떠나라는 경고 삐라다.

대한 애국자 여러분!

"국제연합군"은 함주 왔는대로 한국 시민에게 해를 가저오려고 하지않습니다. 여러분의 조국을 해방하려면 우리의 비행기나 군함들이 공산군군사목표를 폭격하여야 되겠읍니다.

폭탄파 탄약은 친구나 원수를 분간하지 못함으로 여러분은 한수이 대로 공산군 병사나 보급처나 부두나 해안이나 비행기게도나 또는 교량으로 부터 떠나십시오. 바다가에서도 떠나는것이 좋겠읍니다. 여러분은 진정하시고 공산도배들을 조력하여 주지 마십시오.

해방의 날은 장차 올겄입니다.

6010

"폭탄과 탄약은 친구와 원수를 분간하지 못한다"는 문구가 이 삐라 제작 의도와는 무관하게 전쟁의 참상을 드러낸다.

북한인민군의 인명 피해를 강조해 사기 저하를 노린 삐라다.

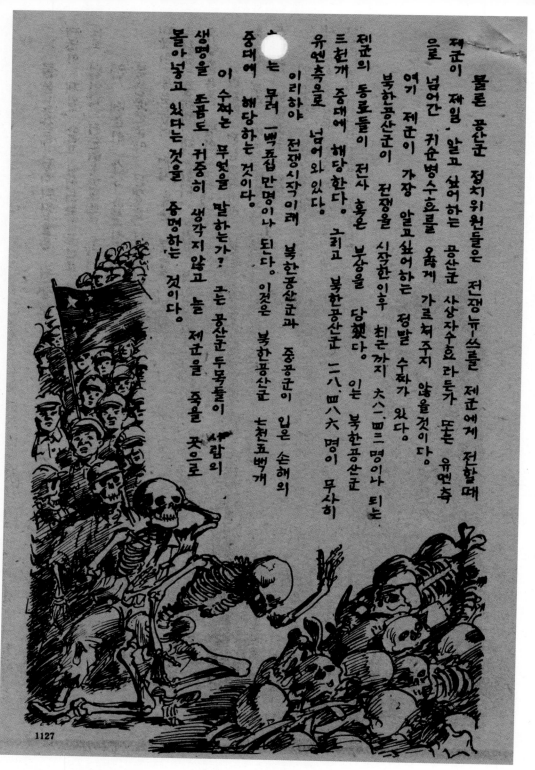

물론 공산군 정치위원들은 전쟁뉴-쓰를 제군에게 전할때

제군이 제일, 알고 싶어하는 공산군 사상자수의 라투가 모든 유엔측

으로 넘어간 키순병수오를를 오々게 가르쳐 주지 않을것이다.

여기 제군이 가장 알고싶어하는 정발 수자가 온다.

북한공산군이 전쟁을 시작한이후 최근 까지 大六一,四三二명이나 되는

전군의 통로들이 전사 혹은 부상을 당했다. 일은 북한공산군

드천까 중대에 해당한다. 그리고 북한공산군 二八,四八六 명이 무사히

유엔측으로 넘어와 있다.

이리하야 전쟁시작이레 북한공산군과 중공군이 입은 손해의

는 무려 一백五십만명이나 된다. 이것은 북한공산군 七천五백개

중대에 해당하는 것이다.

이 수자는 무엇을 말하는가? 그는 공산군두목들이 사람의

생명을 돔푼도 · 커중히 생각지 않고 늘 제군을 죽을 곳으로

볼아넣고 있다는 것을 종명하는 것이다.

1127

한국전쟁이 발발한 뒤 1년 6개월가량 지난 1951년 12월 1일까지 북한인민군과 중국인민지원군 사상자가 150만 명에 이른다며 이는 북한군 중대 규모로 따지면 7500개에 해당한다는 내용을 담았다.

六月三十일… 유엔군과 공산군 양측이 한국의 전투를 끝내기 위하야 회의를 열기로 한다.

七월 十일… 처음으로 공산군측이 유엔군 대표와 만나다.

七월 二十七일… 이날회의에서 유엔군측은 군사경계선을 세우자는 제안을 하였으나 공산군측은 이를 거부하였다. 그 이유는 이안을 모스코 당국에 보고하고 그지시를 기다려야 하기 때문이였다. 그러나 로서아 당국은 한국인의 목숨을 소중히 생각하지 않는 까닭에 그 지시를 천연시 켰다. 이리하야 그동안 수많은 제군의 동료들이 전장에서 헛되이 목숨만 버리게 된것이다.

十一월 二十七일… 넉달이 지난후에야 비로소 모스코에서 지령이 오게 되여 공산군측은 드디어 군사경계선 설치에 동의하였다. 공산측이 지금에 와서 통과한 이군사경계선이야말로 유엔측이 넉달전에 제안한 그것과 꼭같은 것이다.

공산측이 무모하게도 우물주물하는 동안 북한공산군은 七萬二千二百七十五 명의 전사자 혹은 부상자를 냈다. 이는 공산군 二百六十개 중대에 해당한다.

북한공산군!! 제군은 개죽엄할 필요가 어데 있는가?

GENERAL HEADQUARTERS
FAR EAST COMMAND
Psychological Warfare Section
First Radio Broadcasting and Leaflet Group
A-O 500

4 Dec 1951

LEAFLET: Battle Line Casualties (Needless death)

LANGUAGE: Korean

DESIGNATION: Serial No. 1130

TARGET: NKA

REMARKS: Leaflet presents number of Koreans dead and wounded
from time battle line discussions were started until
a decision was reached.

ART WORK: Communist officials seated around a table, as they
discuss the "cease fire" line. Around them are dead
soldiers.

TEXT: -

Page 1: Illustration - Title - 4 months delay
Caption - killed or wounded 72,275
Korean soldiers

Page 2:

30 June - Officials of the UN and Communist forces agreed to a
joint meeting. The purpose of this meeting was to
end the Korean hostilities.

10 July - Officials of the Communist forces met with UN delegates
for the first time.

27 July - At a meeting held on this date UN Officials suggested
a cease fire line. But your leaders said "No." They
had to report to Communist Officials in Moscow and wait
for directions. Because these Soviet officials have
no regard for Korean lives they stalled. Meanwhile
thousands of your comrades' lives were wasted needlessly.

27 November- Four months later, Moscow replied, so your officials
suddenly said "Yes" to the cease fire line. This cease
fire line they agreed to is practically identical with
the one UN officials originally proposed - four months
ago!

While the Communist officials recklessly stalled, 72,275
Korean soldiers were needlessly killed or wounded. This is
equal to more than 260 of your full strength infantry companies.

KOREAN SOLDIERS, DON'T DIE NEEDLESSLY!

왼쪽 위: 정전회담 교착 기간 4개월 동안 북한인민군 사상자 수를 강조하며 회담 교착 책임 떠넘기기와 사기 저하, 분열 등을 노린 삐라다.

오른쪽 위: 정전회담이 군사경계선 안건을 두고 4개월을 끄는 동안 72,275명의 북한군 사상자가 발생했고 이는 260개 중대 규모라고 주장한다. 북측이 4개월은 끈 것은 소련 지시를 기다렸기 때문이라고 북한과 소련을 동시에 겨냥한다.

왼쪽: 정전회담 교착과 사상자 관련 삐라 제작보고서.

북한 주민과 인민군을 타깃으로 제작, 살포한 삐라. 날씨는 점점 추워지는데 식량은 부족하다는 선전이다.

GENERAL HEADQUARTERS
FAR EAST COMMAND
Psychological Warfare Section
First Radio Broadcasting and Leaflet Group
APO 500

10 December 1951

TITLE: Discomforts of War

LANGUAGE: Korean

DISSEMINATION: 1134

TARGET: NKA

REMARKS: One in a series of leaflets for "Plan Deadline"

ILLUSTRATION: Winter scene illustration of wounded soldier. In
the background are soldiers around a fire

ITEM:
Page 1: Illustration

      Title: ANOTHER WINTER OF WAR?

Page 2: Title: ANOTHER WINTER OF WAR?

      Because Communist officials continue to stall at the
peace talks another bitter winter threatens the life of
every North Korean soldier....

      because many thousands of North Korean soldiers will
be killed by bombs or artillery or cold weather.

      because of meager supplies many North Korean soldiers
will grow weak from hunger. Others will die of
starvation.

      All this for what? For Korea? No—for the selfish
political ambitions of Soviet leaders. This is why you
are forced to fight, North Korean soldier.

      AND THIS IS WHY YOU MUST FIGHT, NO MORE!

오른쪽 위: 1950년 6월 25일 한국전쟁 발발 후 두 번째 겨울이 다가오는 시점에 미 극동사령부가 북한인민군을 타깃으로 사기 저하를 노려 제작한 삐라다.

오른쪽 위: 미 극동사령부가 1951년 12월 10일 제작한 "금년 겨울에도 또 싸워야 하나" 삐라 뒷면.

왼쪽: "금년 겨울에도 또 싸워야 하나" 삐라 제작보고서. 'Plan Deadline' 삐라 시리즈 중 하나라고 적혀있다.

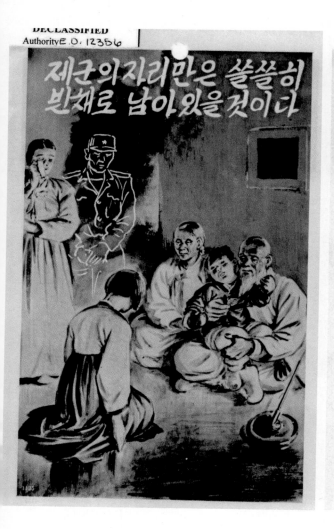

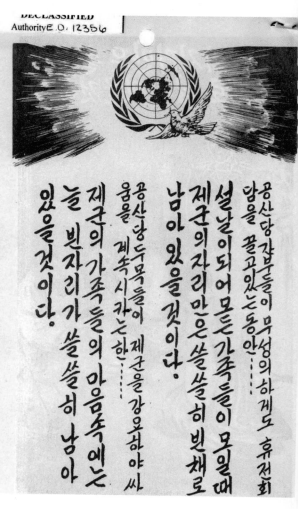

미 극동사령부가 1951년 12월 11일 제작, 살포한 삐라. 설이 다가오는 시점에 전선에 있는 북한인민군에게 향수를 자극하고 가족 생각을 불러일으켜 전의를 꺾기 위해 만들었다. 설에 가족이 모인 장면에 전선으로 나간 가장의 빈자리를 유령처럼 처리했다.

뒷면에는 정전회담이 지지부진한 이유를 공산당 간부에게 돌리고, 그것 때문에 고향으로 돌아가지 못한다는 메시지를 담았다.

GENERAL HEADQUARTERS
FAR EAST COMMAND
Psychological Warfare Section
First Radio Broadcasting and Leaflet Group
APO 500

11 December 1951

LEAFLET: Korean New Year

LANGUAGE: Korean

DESIGNATION: 1135

TARGET: NKA, Civilians

REMARKS: This leaflet is one in a series for "Plan Deadline"

ART WORK: Family feast setting, including the phantom-like figure
of the soldier to whom the leaflet is addressed.

- -

TEXT:
Page 1: Illustration with caption:

YOUR PLACE WILL BE EMPTY

Page 2: Because Communist officials continue to stall at the
Armistice talks--

YOURS WILL BE THE EMPTY PLACE AT
YOUR FAMILY'S NEW YEAR REUNION.....

Because Communist leaders compel you to continue this
hopeless war--

IN THE HEARTS OF YOUR FAMILY THERE IS
GREAT EMPTINESS....

J-9

왼쪽: 설과 가족을 주제로 향수를 자극하는 왼쪽 페이지 삐라 제작보고서. 'Plan Deadline' 삐라 시리즈 중 하나라고 돼있다.

오른쪽: 설과 가족을 주제로 향수를 자극하는 삐라 중국어 버전. 기본 콘셉트는 동일하고 장소만 중국인 가정으로 바꿨다.

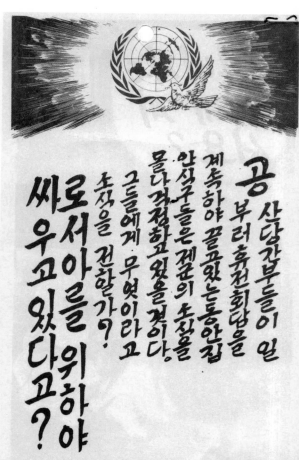

미 극동사령부가 북한인민군을 타깃으로 "당신 가족을 생각하라(Think of Your Family)"라는 타이틀로 제작한 삐라다.
삐라 뒷면에는 공산당 간부들이 정전회담을 지연시켜 전선의 군인들이 집으로 돌아가지 못하고 있다는 텍스트를 담았다.
동시에 소련을 향한 반감도 조장한다.

OFFICIAL HEADQUARTERS
FAR EAST COMMAND
Psychological Warfare Section
First Radio Broadcasting and Leaflet Group
APO 500

12 December 1951

LEAFLET: Think of Your Family

LANGUAGE: Korean

DESIGNATION: 1136

PROJECT: HKM

REMARKS: This leaflet is one of a series for "Plan Deadline"

ART WORK: Family scene, grandmother, daughter, mother and baby

- -

Page 1: Illustration. The daughter is asking "Where's Daddy?"

Page 2: While your Communist officials continue to stall at the
peace talks someone at home asks for you.

What will she be told?

WHAT YOU ARE FIGHTING FOR AND SOVIETS...?

J-2

왼쪽: 1951년 12월 12일 작성한 "당신 가족을 생각하라(Think of Your Family)" 삐라 제작보고서다. 이 삐라도 'Plan Deadline' 삐라 시리즈 중 하나라고 돼 있다.

오른쪽: "당신 가족을 생각하라(Think of Your Family)" 삐라 중국어 버전이다.

1951년 12월 미 극동사령부는 정전회담이 교착상태에 빠지자 그 책임을 공산군 측에 돌리는 삐라를 집중 제작해 뿌렸다. 직접적으로 협상 상대를 비난하기 보다는 가장이 오랜 기간 전쟁에 동원되는 바람에 고통에 시달리는 후방의 가족 얘기를 전면에 내세우는 심리전 기법을 많이 사용했다. 이 삐라도 그중 하나다.

양쪽 팔이 잘려나간 북한군 부상병 이미지를 전면에 내세우고, 휴전조약이 빨리 체결됐다면
집으로 돌아가 건강한 몸으로 아이를 안아줄 수 있었을 것이라는 병사의 안타까움을 배경에 그렸다.
역시 정전협상 교착 책임을 북측에 돌려 분열을 조장하고 사기 저하를 노리는 삐라다.

벌써 휴전이 정립 되었을 것이다. 그러나 공산당두목들은 할 수없이 싸우고있는 제군의 귀한 목숨에는 무관심 한것이다. 공산당두목들이 남의나라 두 목들의 비위를 맞우기 위하야 회의를 끄는통안 북한공산군만 연달아 부상을 당하고 죽게 될것이다.

1137

Authoritv E.O. 12356

E.O. 12356

GENERAL HEADQUARTERS
FAR EAST COMMAND
Psychological Warfare Section
First Radio Broadcasting and Leaflet Group
APO 500

14 December 1951

LEAFLET: Wounded Soldier's Future
LANGUAGE: Korean
DESIGNATION: 1137
TARGET: NKA
REMARKS: One in a series designed for Plan Deadline
ART WORK: Portrait of soldier staring at the stumps of his arms. In the background is a dreamlike presentation of the same soldier holding his son at arm's length.

TEXT:

Page 1: Illustration with the following captions:

"I WOULD HAVE HANDS TO CLASP MY CHILD ONCE AGAIN--"
(Caption at top of sketch)

"--IF FOREIGN COMMUNIST LEADERS HAD AGREED TO END THE WAR--"
(Caption at bottom of sketch)

Page 2:

There might have been a quick Cease-Fire Agreement.

But Communist leaders have no interest in the lives of those who are compelled to do the fighting.

While these Communist leaders haggle over words for the ears of their foreign masters, North Korean soldiers must continue to suffer crippling wounds and death itself.

J-7

要是蘇俄共黨頭兒早
同意結束戰爭的話，

我也許還能有雙手抱
一抱我的孩子。

DECLASSIFIED
AuthoritvE.O. 12356

7117

왼쪽 위: 앞 페이지 북한 부상병 삐라 뒷면.

오른쪽 위: 1951년 12월 14일 작성한 북한 부상병 삐라 제작보고서. 'Plan Deadline' 시리즈 중 하나다.

왼쪽: 부상병 삐라 중국어 버전이다.

미 극동사령부가 신년(1952년)을 앞두고 북한인민지원군과 북한 주민을 타깃으로 제작 살포한 새해맞이 삐라.

아래는 새해맞이 삐라 뒷면. '근하신년'이라는 글귀가 생경해 보인다.

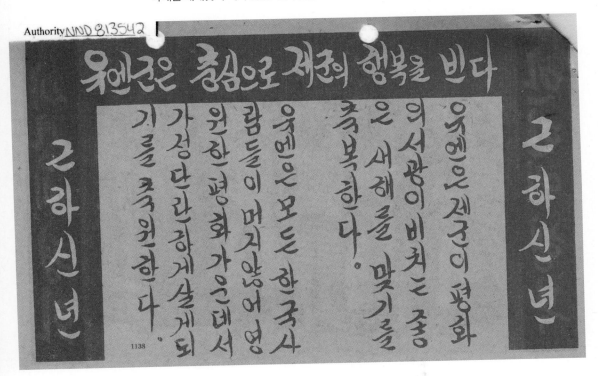

GENERAL HEADQUARTERS
FAR EAST COMMAND
Psychological Warfare Section
First Radio Broadcasting and Leaflet Group

26 December 1951

LEAFLET: New Year's Day (Jan 1st)

LANGUAGE: Korean

DESIGNATION: 1138

TARGET: NKA and NK Civilians

REMARKS: Leaflet designed to re-emphasize UN Peace aims.

ART WORK: Front: People of various of the United Nations
extending their hands in friendship.
Back: Border of holiday lanterns.

- -

TEXT:
Page 1: Illustration with following captions:

PEACE ON EARTH........GOOD WILL TO MEN

Page 2: BEST WISHES FROM UN FORCES (horizontal border)

HAPPY NEW YEAR (vertical border)

The people of the United Nations extend their hands in
wishing you a prosperous New Year fostered by Peace.

We hope that all Korean families will soon be reunited
in lasting peace and good health.

Incl 5

1951년 12월 26일 작성한 '새해맞이' 삐라 제작보고서. 유엔의 평화 목적을 재강조하기 위해 고안했다고 적혀있다.

미 극동사령부·유엔군사령부 - 1952

1952년 1월 14일 용의해 평화기원

미 극동사령부가 용의 해(1952년)를 맞아 북한인민군을 타깃으로 제작, 살포한 삐라. 평화를 기원하는 듯하지만 사실은 정전 회담 교착 책임을 북측에 돌리는 선전물이다.

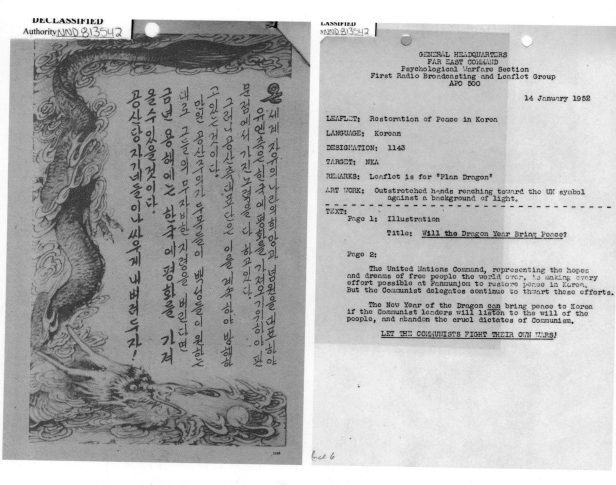

GENERAL HEADQUARTERS
FAR EAST COMMAND
Psychological Warfare Section
First Radio Broadcasting and Leaflet Group
APO 500

14 January 1952

LEAFLET: Restoration of Peace in Korea

LANGUAGE: Korean

DESIGNATION: 1143

TARGET: NKA

REMARKS: Leaflet is for "Plan Dragon"

ART WORK: Outstretched hands reaching toward the UN symbol
against a background of light.

- -

TEXT:
Page 1: Illustration

Title: Will the Dragon Year Bring Peace?

Page 2:

The United Nations Command, representing the hopes
and dreams of free people the world over, is making every
effort possible at Panmunjom to restore peace in Korea.
But the Communist delegates continue to thwart those efforts.

The New Year of the Dragon can bring peace to Korea
if the Communist leaders will listen to the will of the
people, and abandon the cruel dictates of Communism.

LET THE COMMUNISTS FIGHT THEIR OWN WARS!

왼쪽: '용의 해' 삐라 뒷면. 판문점 정전회담에서 유엔 측은 평화를 위해 온갖 노력을 다하고 있으나
공산 측이 이를 방해하고 있다고 주장한다.

오른쪽: 1952년 1월 14일 자 '용의해' 삐라 제작보고서다.

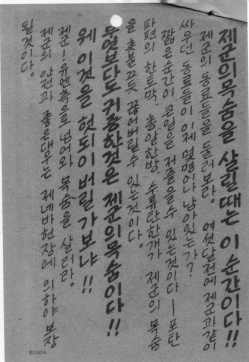

미 극동사령부가 "평화로운 새해로 탈출하라"라는 콘셉트로 제작한 삐라다.
뒷면에는 유엔군에게 투항하면 제네바 헌장에 의해 대우하겠다는 글귀 등이 적혀있다.

아래는 위 삐라와 색깔만 다르게 인쇄한 것이다. 하지만 뒷면 텍스트는 색상 뿐만 아니라 내용도 다소 다르다. 위 삐라 뒷면 텍스트는 붉은색인데 아래 삐라는 푸른색이다. 글씨체도 확연히 다르다. 3분의 2 정도는 같은 내용인데 뒷부분은 차이가 난다. "귀한 목숨을 명년정초까지 유지하려고 하면", "제네바 포로대우규정" 등이 다른 부분이다.

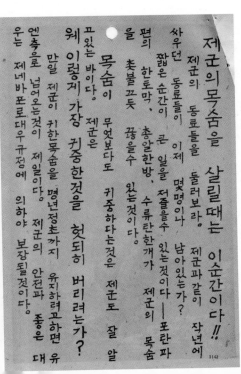

공산당이 한국 문화를 말살하고 있다는 삐라. 북한인민군과 북한 주민을 타깃으로 살포했다.

파괴되는 우리문화와 공산당들

공산당들이 한국의 아름다운 문화, 오랜 전통의 무형·유형의 미풍양속을 비롯 하야 한국의 자랑하는 민족 문화 적 유산의 거룩한 공산주의 사상에 맞지 않는다 하야 오랫동안 쌓아 올린 문화를 파괴하려고 있는 것이다.

소위 ·해방자 라고 자칭하는 이 공산군의 자들이 전쟁을 일으키 어 우직 파괴와 멸망을 가져오고 있다. 그 실례로서 전군의 들에서 우리 모든 일을 살펴 보면 알 것이다. 즉 우리 문화재의 수많이 파멸을 당하였고 그 들에게 수거해갔으며 그 가음답던 강산이 피를 물들었고 다

사랑한 강산들이여 정신을 바로차려 저군의 들러달 옆에서 살파라

GENERAL HEADQUARTERS
FAR EAST COMMAND
Psychological Warfare Section
First Radio Broadcasting and Leaflet Group

23 January 1952

LEAFLET: Genocide

LANGUAGE: Korean

DESIGNATION: 1149

TARGET: NKA, NK Civilians

REMARKS: This leaflet is designed to show both troops and civil-
               ians that Communist domination of Korea means cultural
               subjugation.

ART WORK: Illustration of a barbed wire enclosure behind which are
               priests, educators and other "anti-revolutionaries". A
               Communist soldier is standing guard.

- -

TEXT:
Page 1: Illustration - A sign on the stockade reads: "Religious and
                         political leaders, educators, professional
                         and technically skilled, and other so-called
                         "anti-revolutionaries" who believe in freedom
                         and human dignity."

Page 2: Title: MORE COMMUNIST DESTRUCTION

     Because Korea's rich culture, fine literature, educational pro-
grams, family traditions and other native riches don't conform with
the Communists' crude ideals, they are attempting to destroy every-
thing Korea has painfully built over centuries.

     These Communists who call themselves "liberators" bring only
destruction and ruin wherever they wage their wars.

     The only proof we need is to look about us: our friends, our men
of intellect -- executed or kidnapped; our lands pillaged, and our
once happy families broken.

               FELLOW KOREANS--LOOK ABOUT YOU!

J-4

1952년 1월 23일 작성한 삐라 제작보고서. 공산당 지배는 문화 정복이라는 것을 보여주기 위해 고안한 삐라라고 적혀있다.

116

불길에 휩싸인 한반도 북쪽을 향해 스탈린으로 보이는 사람이 부채질을 하고 있다.
북한인민군과 주민을 상대로 반소 여론을 조장하기 위한 삐라다.

평화회담석상에서 공산측으로 속으로는 전쟁을 계속하기위한 비행장 건설을 원하면서 겉으로는「평화」를 부르짖고 있다.

공산당이 원하는「평화」야 말로 그상야룻한것이라 아니할수 없다

어데를 물론하고 공산당이 있는곳에는 자유인간에 대한 진정한 평화는 없는것이다…… 있다면 오직 기만, 가난 고생뿐이다.

공산당이 쓰는 말에「평화」란 전쟁을 의미한다.

자유세계는 공산당의 거짓말에 속지않는다

1151-R

1151-R

북측이 정전협상에선 평화를 말하지만 뒤로는 비행장을 만드는 등 전쟁 준비를 하고 있다고 비난하는 삐라다.

북한 정권의 토지분배정책을 비방하는 삐라다. 우측 하단 일련번호 뒤 별표(asterisk)는 주한 미8군 심리전 부대가
일본 도쿄 미 극동사령부 심리전부에 요청해서 만든 삐라라는 의미다.

GENERAL HEADQUARTERS
FAR EAST COMMAND
Psychological Warfare Section
First Radio Broadcasting and Leaflet Group

9 February 1952

LEAFLET: Land Reform

LANGUAGE: Korean

DESIGNATION: 1152*

TARGET: NKA

REMARKS: Asterisk after serial number signifies that leaflet was
               suggested and requested by Psywar EUSAK. Leaflet attemp-
               ts to show individual enemy soldier the fallacy of the
               Communist "Land Reform" program.

ART WORK: Front: Illustration of soldier visualizing a farm scene
                       at home.
               Back: Diagonal stripes with slogan.

- -

TEXT:
Page 1:   Illustration

          Text bottom:

          Korean Soldier:

          The fallacy of the Communist "Land Reform" each day becomes
          more evident.

          Under Communist dictatorship, the Korean farmer can never
          hope to become a real land owner. (Chinese farmers now sad-
          ly realize this). In place of your old landlords are new,
          more greedy ones--the Communists.

          When they give you land, it is only a paper arrangement,
          because the Communists confiscate all but a small portion of
          farmers' crops. And this portion reduces the farmer's fami-
          ly to starvation!

          The so-called Communist "Land Reform" succeeds only in making
          farmers slaves.

Page 2:   COMMUNISM HAS REDUCED FARMERS TO SLAVERY!

J-5

1952년 2월 9일 작성한 '토지개혁' 삐라 제작보고서다. 일련번호 뒤에 붙어있는 별표(asterisk)의 의미를 설명하고 있다.

미 극동사령부가 1952년 3.1절을 맞아 제작한 삐라다. 3.1운동 발상지 탑골공원과 군중 묘사가 매우 정교하다.

조국 통일과 독립을 위해 공산당을 쳐부수자는 메시지를 담고 있다.

미 극동사령부 심리전부가 만든 삐라 중 가장 많이 등장하는 유형 중 하나인 체제 우월 선전 삐라다. 1952.2.21.
앞면은 공산당 치하 노예의 삶을 강조하고, 뒷면에는 유엔 깃발 아래 평화, 자유, 행복의 삶을 강조했다.

위: 북한 지도부와 북한 병사 및 주민 사이 불신을 유도하는 삐라다.

아래: 북한 지도부가 소련과 중국에 북한을 팔아먹었다고 선전한다.

남북한 사회와 생활상을 비교해 남한 체제 우월성을 선전하는 삐라다.

GENERAL HEADQUARTERS
FAR EAST COMMAND
Psychological Warfare Section
First Radio Broadcasting and Leaflet Group

29 February 1952

LEAFLET: Benefits Under ROK

LANGUAGE: Korean

DESIGNATION: 1158

TARGET: NKA and NK Civilians

REMARKS: To contrast people's life under the regimes of the
               Republic of Korea and Communist Korea.

ART WORK: Front: Two Illustrations of life in the ROK contrasted
                      with two showing life in Communist Korea.
               Back: Two illustrations of life in the ROK contrasted
                      with two showing life in Communist Korea.

- -

TEXT:
Page 1: ROK: The people's freedom grows
        (The top two illustrations--ROK--are overprinted in blue)
        Caption 1: The worker is free to choose his job.
        Caption 2: The people choose their government.

        Communist Korea: Enslavement of the people spreads like a
        disease
        (These two illustrations--NK--are printed in black and white)
        Caption 1: The government tells the worker where he must work.
        Caption 2: The government dominates the people by armed force.

Page 2: ROK: The people's freedom grows
        (The top two illustrations--ROK--are overprinted in blue)
        Caption 1: The farmer owns his crops.
        Caption 2: The student lives a liberal, academic life.

        Communist Korea: Enslavement of the people spreads like a
        disease
        (These two illustrations--NK--are printed in black and white)
        Caption 1: The government confiscates the farmer's crops.
        Caption 2: Government propaganda poisons the student with
                   revolt, hate, war.

J-3

1952년 2월 29일 작성한 '남북 체제 비교' 삐라 제작보고서다. 북한인민군과 북한 주민을 타깃으로 제작했다.

북한인민군을 타깃으로 귀순을 유도하기 위해 제작한 삐라다.

1952년 3월 1일에 3.1절을 맞아 뿌린 삐라다. 한국을 원조하는 유엔 가입국 국기를 담았다.

128

<자유세계주간신보>도 3.1절을 맞아 특집 기사를 게재했다.

통일독립만세!

三·운동기념특보

三·一정신은 죽지 않는다

한국독립만세수호의 씩씩한 우리국군

장쾌한 한국과 심지화한 북한

2503

<자유세계주간신보> 1952년 3.1운동 기념특보다.

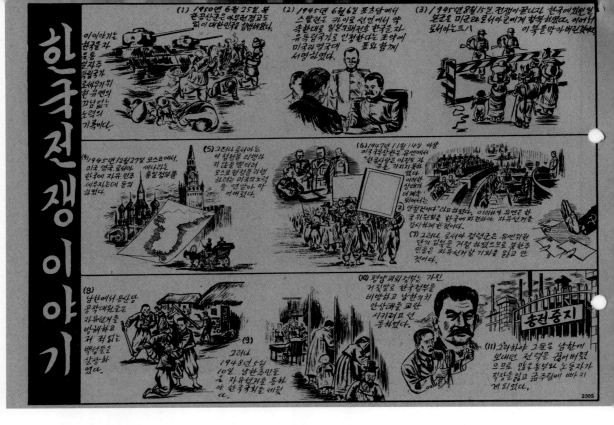

한국전쟁이 발발한 배경과 유엔군이 한국에 오게 된 과정을 만화로 그린 삐라다.

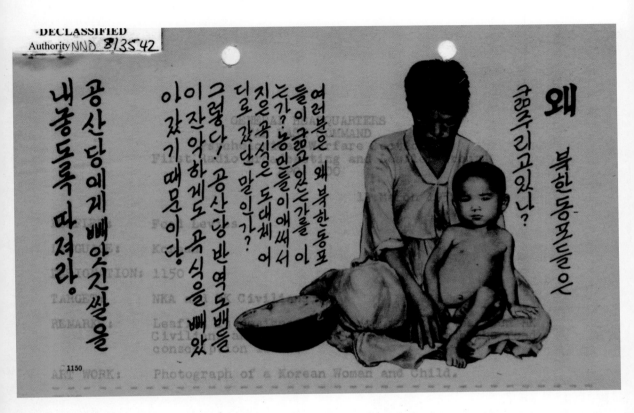

북한 주민이 겪는 기아가 공산당의 곡식 약탈 때문이라고 선전하는 삐라다. 북한인민군과 북한 주민을 타깃으로 뿌렸다.
1952.3.13.

132

한국 국민 여러분!

유엔군은 이 한국 농민과 기타 모든 한국백성들의 자유를 지

키기 위한 싸움을 돕려고 온것이다.

유엔장병들은 오직 공산독재자의 침략행위를 막어내

려는 거룩한 목적을위하야 정든 고향을 버리고 한국 전

선으로 온것이다.

한국 통일독립 만세 !!

다 같이
지유를위이야!

'자유의 수호자'라는 제목의 삐라. 1952.3.14.

한국은 로서아의것……………

공산당은 농민에게 땅을 줄때 그것은 바로 공산당들이 마음속에 품고있는 표어다. 그들이 다시 이 땅을 집단 농장화 시키기 위하야 도루 ■앗어 가다는것을 제군에게 알리는것 안이였다. 이렇게 공산[정권] 아래서는 모든일에 그 정부를 위해서만 ■고 ■에 대하야는 아무런 자유도 없었것이다. 처음에는 고착, 다음에는 원료, 다그막에는 한국의 생명을 로서아에 흐르기시작하고 있었다.

앞서 공산주의나 한때 자유로 왔[던] 쳬코, 폴랜드, 루마니아. 기타 여러나라를 ■와 꼭같이 안뜀에 ■뜨리고 말것이다. 이번에는 로서아 공산당이 한국을 자기네 노예국가로 만들려고 하고있는것이다.

한국의 자유를 사수하라!
공산당에 결사 항거하라!

북한인민군을 타깃으로 제작한 '공산당의 꼭두각시'라는 제목의 삐라.
김일성이 북한을 헌납하려하자 스탈린은 전체 한국을 원한다고 말한다.
소련에 대한 적개심을 불러일으키기 위한 삐라다. 1952.3.21.

뒷면에는 러시아 공산당이 한국을 자신들의 노예국가로 만들려고 한다는 메시지를 실었다.

GENERAL HEADQUARTERS
FAR EAST COMMAND
Psychological Warfare Section
First Radio Broadcasting and Leaflet Group
APO 500

21 March 1952

LEAFLET: Korea: Communist Puppet

LANGUAGE: Korean

DESIGNATION: 1165*

TARGET: NKA

REMARKS: Asterisk after serial number signifies that
               leaflet was suggested and requested by Psywar
               EUSAK. It combines themes 3:2:h and B:3:c, Plan
               Patriot, into one leaflet.

ART WORK: Political cartoon type illustration of a Russian
               General demanding "North Korea" as ammunition
               from Kim Il Sung.

TEXT -
Page 1:   Illustration of a Russian General who says, "I want
           all of Korea."

           Title: KOREA FOR THE RUSSIANS?

Page 2:   Korea for the Russians...

           ...this is the silent Communist slogan.

           The Communists have given some of you land, but they have
           not told you that they plan to take it away from you by what they
           call collectivization. Under Communism everything is for the
           state—nothing for the individual.

           First, your crops, then your raw materials, the life
           blood of the land begins flowing into Russia.

           Communism has brought this fate to Czechoslovakia,
           Poland, Rumania and other countries that once were free.

           Now the Russian Communists are attempting to add Korea
           to their list of slave states.

               KEEP KOREA FREE

           RESIST THE COMMUNISTS

J-4

1952년 3월 21일 자 '공산당의 꼭두각시' 삐라 제작보고서다.
이 삐라는 미8군 의뢰로 미 극동사령부 심리전부가 만들었다고 적혀있다.

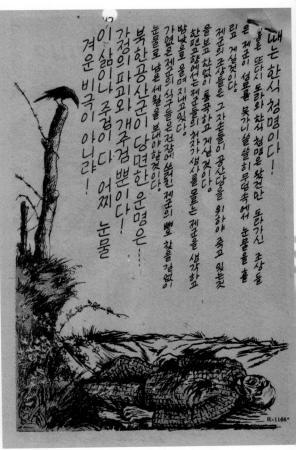

1952년 청명과 한식을 10일가량 앞두고 전선에 나온 북한인민군의 향수를 불러일으키기 위해 제작한 삐라다. 1952.3.26.

GENERAL HEADQUARTERS
FAR EAST COMMAND
Psychological Warfare Section
First Radio Broadcasting and Leaflet Group
APO 500

26 March 1952

LEAFLET: Chung Myung Day

LANGUAGE: Korean

DESIGNATION: 1166*

TARGET: NKA

REMARKS: Asterisk after serial number signifies that leaflet
was suggested and requested by Psywar EUSAK. Leaf-
let employs the nostalgia theme tied in with the
Chung Myung Festival.

ART WORK: Front: Illustration of neglected graveyard.
              Mountains in background.
        Back: Illustration of a dead soldier.

- -

TEXT:
Page 1: Illustration

      Title: DURING THIS HAN-SHIK-CHUNG MYUNG FESTIVAL
              WHO VISITS THE GRAVES OF YOUR ANCESTORS?

Page 2: Title: THIS IS YOUR HAN-SHIK-CHUNG MYUNG FESTIVAL!

      With the coming of spring your ancestors weep in their
graves because you are not able to visit the graves on Han-Shik-
Chung Myung.

      Your ancestors are sobbing because their offspring are
dying for Communist rulers.

      Your wives and sons at home are crying for you day and
night because they do not know what has happened to you.

      If you die on the battle field your loved ones will be
able to do nothing but cry for your soul, because they will never
be able to find the place where your bones are left.

Caption: The reward for a NKA soldier is:

      BROKEN FAMILY AND TRAGIC DEATH!

      THUS, BOTH THE LIVING AND THE DEAD ARE DISTRESSED!

J-2

1952년 3월 26일 '청명일(Chung Myung Day)'이라는 제목의 삐라 제작보고서다. 일련번호가 '1166*'로 표기돼있다.
별표(asterisk)가 붙은 건 미 극동사령부 심리전부가 미8군의 요청으로 삐라를 제작했다는 의미다.

북한인민군은 소련과 중국의 꼭두각시라고 선전하며 분열과 사기 저하를 노린 삐라다. 1952.5.

아래는 '꼭두각시' 삐라 중국어 버전이다. 중국인민지원군이 한국전쟁의 불길 속으로 떠밀리고 있다.
뒤에는 마오쩌둥, 그 뒤에는 스탈린이 밀고 있다. 1952.5.

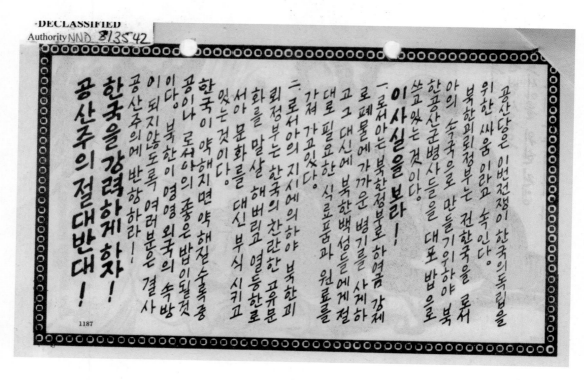

'꼭두각시' 삐라 한국어 버전 뒷면이다.

카 나 다

카나다는 공산침략을 막기 위하여 싸우고 있는 우수한 유엔국가의 일원이다. 카나다인은 여러가지 이유에서 한국에 왔다. 전통적 유적을 로개인의 장유를 유지해왔다.

한국 어린이들과 즐겁게 노는것이 카나다군인들의 다시 없는 재미다. 카나다 군인들은 인류평화를 보존하기 위하여 한국에 와서 싸우고 있다.

누구에게나 친절히 대하는 것이 카나다 사람들의 특징이다.

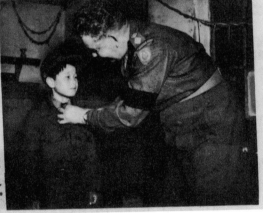

9504*

한국전쟁에 군대를 보낸 16개 참전국을 하나씩 소개하는 삐라 시리즈 중 하나다. 캐나다 편은 해당 시리즈 5번째다. 북한인민군을 타깃으로 유엔군 위용을 과시하기 위해 제작했다. 1952.6.6.

친애하는 인민군 동지들이여!

카나다는 언론의 자유와 개인의 자유를 존중하며 이를 실천해온 나라 입니다. 우리가 여러 유엔국가와 함께 이곳에서 공산주의와 싸우고 있는 까닭이 여기 있읍니다. 여러분도 다 아시다 싶이 공산주의란 노예생활과 개인의 자유를 잃어 버리는 것을 말하는 것입니다. 우리는 한국인의 자유를 보호 하기 위하야 싸우고 있읍니다.

여러분의 지도자들은 여러분이 싸우고 있는 "정확한 이유"를 이야기 해주고 있을것입니다. 여러분은 이것을 믿지 않으시겠지요. 여러분은 그네들의도구에 지나지 않습니다. 공산침략을 조장시키며 다른 사람들도 노예로 만들기 위하여 그들은 여러분의 애국심을 이용하고 있는 것입니다.

공산당 당원들은 늘 당원 아닌 사람들 보다 더 좋은 대우를 받고 있는 것을 여러분은 보지못합니까? 이것이그들이 여러분에게 약속한 평등한 대우입니까?

정말이지 여러분 양심은 공산당 선전이 허위라는 것을 올바르게 말해 줄것입니다.

그들은 전 세계를 여러분에게 준듯이 말하고 있는데 여러분은 하고 싶은 말 조차 자유롭게못하지 않습니까!

값 없는 희생이 되지말고 유엔군 쪽으로 넘어오라.

9504

'캐나다' 삐라 뒷면. 마지막 문구는 유엔군 쪽으로 귀순하라는 메시지다.

HEADQUARTERS
FAR EAST COMMAND
Psychological Warfare Section
First Radio Broadcasting & Leaflet Group
APO 500

6 June 1952

LEAFLET: Plan United - Canada

LANGUAGE: Korean

DESIGNATION: 9504*

TARGET: NKA

REMARKS: Asterisk after serial number signifies that leaflet
                was suggested and requested by Psywar EUSAK. Fifth
                of 18 leaflets designed to inform the enemy of the
                many UN countries participating in the Korean war.

ART WORK: Left photo showing Canadian soldiers playing with two
                Korean boys, and right photo showing Canadian soldier
                fixing the tie for a Korean boy. Canadian flag and UN
                symbol.

- -

TEXT:
Page 1:   Photographs with captions

           Canada is another of the many nations of the UN fighting
Communist aggression in Korea.

           Canada has traditionally upheld freedom of the individual
man.
           Showing tenderness toward others is very characteristic of
the Canadians.

           Playing with Korean children is a favorite pastime of
Canadian soldiers, who are here fighting to preserve peace for all
people.

Page 2:   Dear members of the NKPA:

           Canada is a country that believes and practices freedom of
speech and freedom of the individual citizen. That is why we are here,
united with many other UN countries fighting Communism. As you all
can see, Communism can only mean slavery, loss of personal freedom.
We are fighting to preserve Korean liberty.

           Your leaders have been telling you of the "just cause" for
which you are fighting. Surely you really don't believe that! To
them you are just a tool, and they use your patriotism to further Com-
munist aggression; to keep other people in slavery.

                              (over)

J-3

1952년 6월 6일 작성한 '캐나다' 삐라 제작보고서다. 유엔군 참전국 소개 삐라 시리즈도 미8군 요청으로 제작했다고 적혀있다.

03

미8군사령부

앞서 2부에서 살펴본 것처럼 미 극동사령부(FEC)와 유엔군사령부(UNC)는 한국전쟁 때 '전략 차원'의 프로파간다 삐라(Strategic Propaganda Leaflets)를 만들어 살포했다. 전략 차원의 선전 삐라는 장기 목표, 즉 유엔군의 전쟁 승리와 체제 우월성 입증 등 이념적 목표 달성을 위해 설계한 심리전 수단이다. 이를 위해 장기적으로 적군, 즉 북한인민군과 중국인민지원군의 사기를 저하시키고, 적군 및 북한 주민의 신념과 태도에 변화를 가져오는 삐라를 만들었다.

주로 전체적이고 포괄적인 메시지를 담았고, B-29나 B-26 등 폭격기를 동원해 광범위한 지역에 대량으로 뿌렸다. '안전보장증명서(SAFE CONDUCT PASS)' 삐라 사례에서 봤듯이 미 극동사령부 심리전부는 본국 육군부 심리전 담당 부서와도 긴밀하게 논의하며 선전 삐라를 제작했다.

이에 반해 한반도에서 직접 전투를 수행한 미8군사령부 심리전 부대는 '전술 차원'의 프로파간다 삐라(Tactical Propaganda Leaflets)를 만들어 살포했다. 전술 차원의 선전 삐라는 단기 목표, 즉 특정 전투 승리나 작전 성공을 위해 기획하는 심리전 수단이다. 미8군사령부가 전개한 전술 삐라 심리전은 북한인민군이나 중국인민지원군이 귀순이나 투항 등 특정 행동을 취하도록 즉각적인 영향을 미치는 것을 목표로 했다. 주로 구체적이고 직접적인 메시지를 담았고, 소형 항공기나 곡사포, 박격포 등으로 특정 목표 지점에 집중 살포했다. 전반적으로 삐라에 담은 일러스트 작업 수준이나 인쇄 질이 도쿄 극동사령부에서 만든 삐라에 비해 조잡했다. 미8군사령부 심리전 부대는 정교한 일러스트나 인쇄술이 필요할 경우 일본에 주둔한 미 극동사령부 심리전 부대에 삐라 제작을 의뢰하기도 했다.

미8군사령부 삐라는 특정 지역 전투 상황에서 적군의 투항이나 귀순을 유도하고, 경로를 안내하는 유형이 많았다. 지리산 지구 빨치산을 겨냥한 귀순 공작 삐라도 다양하게 만들어 살포했다.

미8군사령부 - 1951

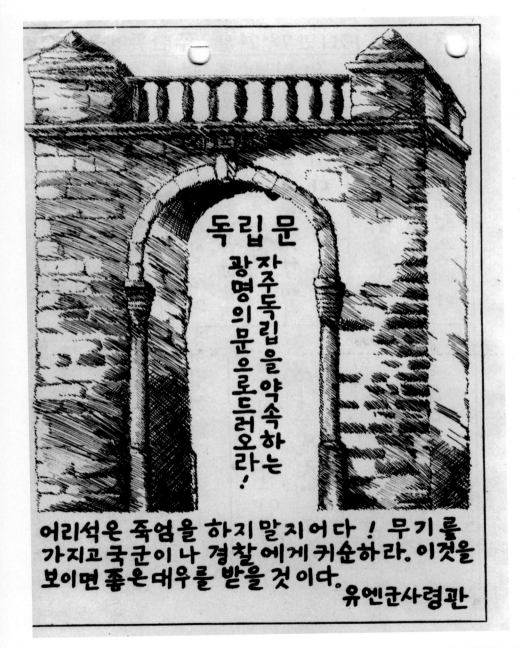

미8군사령부 심리전 부대가 북한인민군을 타깃으로 제작한 귀순 유도 삐라. 유엔군사령관 명의를 부각했다. 1951.7.24.

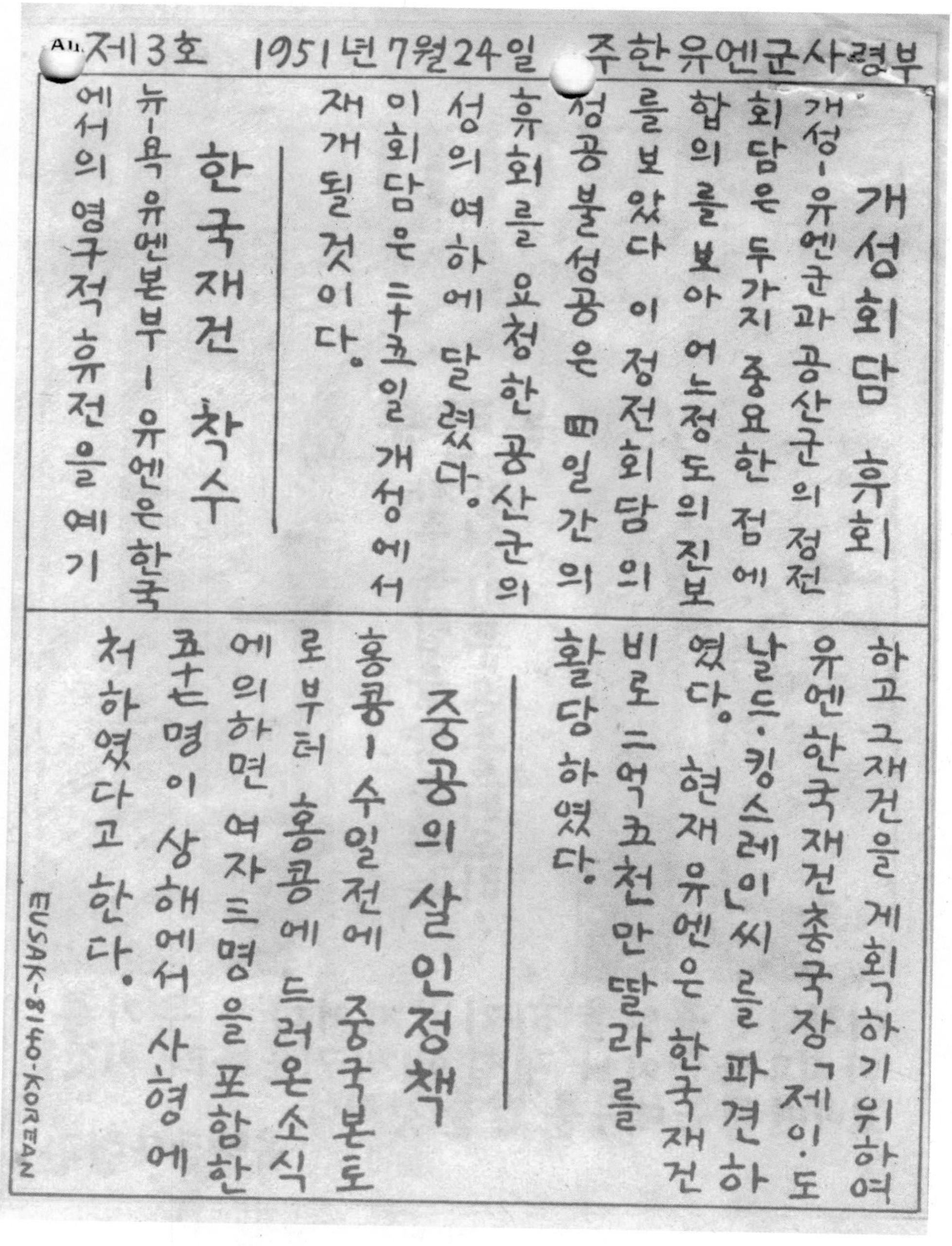

개성회담 휴회

개성-유엔군과 공산군의 정전회담은 두가지 중요한 점에 합의를 보아 어느정도의 진보를 보았다 이 정전회담의 성공불성공은 明日간의 휴회를 요청한 공산군의 성의여하에 달렸다. 이 회담은 二三일 개성에서 재개될 것이다.

하고 그재건을 계획하기 위하여 유엔한국재건총국장 「제이·도날드·킹스레이씨」를 파견하였다. 현재 유엔은 한국재건 비로 二억二천만 딸라를 할당하였다.

한국재건 착수

뉴욕 유엔본부- 유엔은 한국에서의 영구적 휴전을 예기

중공의 살인정책

홍콩- 수일전에 중국본토로부터 홍콩에 드러온 소식에 의하면 여자三명을 포함한 五十명이 상해에서 사형에 처하였다고 한다.

EUSAK-8140-KOREAN

뒷면은 신문 형식으로 정전회담 소식 등을 다뤘다.

미8군 작전본부 심리전 부대에서 제작한 삐라다. 정전회담에서 유엔군 측은 현 전선(38선에서 북으로 더 올라간 선)을 경계로 주장하는 반면, 공산군 측은 38선을 주장하며 무리한 전투를 계속한다고 비난하는 선전물이다. 1951.8.

DECLASSIFIED
Authority E.O. 12356

지상전선은 三八선에서 북쪽으로 二십내지 三십마일 들어가 있다.

공중과 해상전선은 압록강까지 가 있다.

유엔군은 전쟁을 끝내기 위해서 지상전선을 따라비무장대를 설치하려고 한다.

그러나 공산군지도자들은 파거 五년동안 한국분렬의 상징이던 三八선까지 전선을 물리려고 한다.

공산주의자들이 몇마일의 땅을 주장하게 하기위해서 끔통과 유혈을 계속할 것은 무엇인가?

이쓸데없는 전쟁 중지를 요구하라. 정치적 조건을 제외하고 현재 전선을 기초로 삼은 휴전을 지지하라.

1094

십이사단 전사·하사 동지들에게!
굶주림과 유엔군의 끊임 없는 폭격·포격으로 공
포 속에서 울고 있는 북한의 여러 동지들이여!
하루 바삐 그 죽음의 무서움 속에서 벗어나 안
전한 삶의 길을 찾지 않으렵니까?
많은 동지들이 안전한 삶의 길을 찾아 나와 친
절한 유엔군 품에 안겨서 따뜻한 음식과 잠 자
리로 후대를 받으며 지내고 있습니다.
자! 이제는 우리가 살 길을 찾아 나설 때가
왔읍니다. 뒤에 있는 지도를 보고 큰길을 찾아 나
와 유엔군 지대로 넘어 오십시오. 따뜻한 밥과
옷을 가지고 맞아 들이겠읍니다.

EUSAK 8159 KOREAN

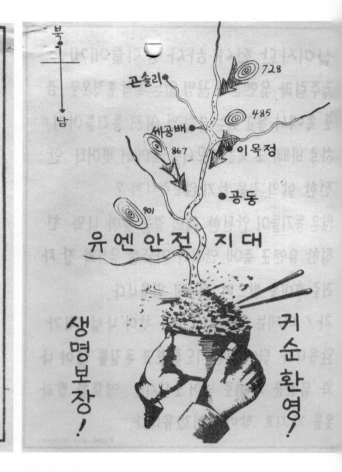

미8군 심리전 부대가 북한인민군 12사단 병사를 타깃으로 뿌린 귀순 안내 삐라.
일본 도쿄에 있던 미 극동군사령부와 유엔군사령부(FEC/UNC)가 제작한 삐라는 전략 차원의 삐라(Stretegic Propaganda
Leaflets)인 반면, 미8군이 만든 삐라는 특정 지역 등을 대상으로 한 전술 차원 삐라임을 알 수 있다.
뒷면에는 귀순 경로 지도가 있다. 1951.8.

PSYCHOLOGICAL WARFARE DIVISION, G-3
Headquarters, EUSAK
APO 301

LEAFLET : Surrender Instructions

LANGUAGE : Korean

DESIGNATION : Serial No. 8159

TARGET : 12th NK Division

REMARKS : This leaflet is a combination good treatment and map sketch showing North Korean soldiers how to reach UN lines. Leaflet was designed and requested by X Corp.

ART WORK : Map sketch showing UN safety zone and full bowl of rice symbolizing UN good treatment.

TEXT:
(Page 1) Map sketch---

(Page 2) Officers and Men of the 12th NK Division:

You are suffering many hardships from starvation and UN powerful air and artillery bombardment.

Why do you not seek your safety at once by escaping out of the horror of death?

Many of your comrades have already come over to UN lines. They are all safe, and are enjoying their good treatment.

Now is the time for you to seek your safety!

Follow the route indicated on the map on the reverse side.

We are waiting for you with warm cooked rice and good treatment.

미8군(Eighth United States Army Korea, EUSAK) 심리전 부대가 작성한 '귀순 안내' 삐라 제작보고서다. 타깃이 북한군 12사단이라고 적혀있다. 1951.8.

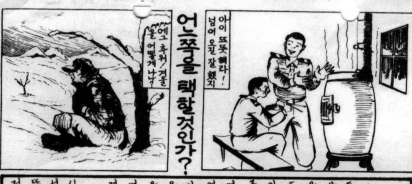

추위와 따뜻함, 둘 중 하나를 선택하라며 북한 5군단 병사를 상대로 귀순을 유도하는 삐라. 북한인민군 제5군단장 방호산의 실명을 거론하며 군단장과 병사의 분열을 조장한다. 1951.8.

PSYCHOLOGICAL WARFARE DIVISION, G-3
Headquarters, EUSAK
APO 301

LEAFLET   : Anti-Morale and Surrender Appeal

LANGUAGE   : Korean 8162

DESIGNATION   : Serial No.

TARGET   : 5th North Korean Corps

REMARKS   : Leaflet was requested by X Corp. The layout
and textual information was submitted by them.

ART WORK   : Two panels sketch. Right panel shows a single
North Korean soldier suffering from the cold.
Left panel shows two North Korean soldiers
receiving good treatment from the UN.

TEXT:
   (Page 1)   Sketch, with captions---

"It is very cold! How am I going to live
this winter?"

"TAKE YOUR CHOICE!"

"It is nice and warm here and we are happy
to be on UN side."

   (Text)   Officers and Men of the NKA:

It is foolish for you to fight and die for the
ambitions of General Pang Ho San (Double Hero)
while he is sitting comfortably in his Headquarters
away from the fighting and deadly UN artillery.

You are fighting to make your leaders "Double
Heroes and Triple Heroes".

WINTER IS ALMOST HERE!

How are you going to live through the bitter cold?

Friends: Come over to UN lines NOW!
You will receive humane treatment and will be
warm and well fed this winter.

미8군 심리전 부대 보고서. 북한인민군 5군단 병사를 타깃으로 만들었다. 미 10군단(X corp.)의 요청으로 제작했고, 구성과 텍스트도 10군단이 제공했다고 적혀있다.

북한동포 여러분 !
공산주의 지도자들은 여러분의 도시를 무자비 하
게도 병기창 으로 만들고 있읍니다. 유엔은
현재 북한에 있는 군사 목표를 폭격하고 있
으며 앞으로도 모다 파괴 될때 까지는
폭격을 계속할 것입니다. 유엔은 이러한
폭격 때문에 죄없는 시민들이 부상을 입
거나 또는 죽는 것을 우려하여 경고합니다.
병기창이나 비행장 에서 일하지 마십
시요. 군사시설 근처에서 일하거나
살지 마십시요. 곧 안전한 지대로 피
난하여 여러분의 귀한 생명을 구하
십시요.

북한 주민을 타깃으로 한 폭격 경고 삐라다. 한국전쟁 때 미군이 많이 만들어 뿌린 삐라 중 하나다. 1951.8.

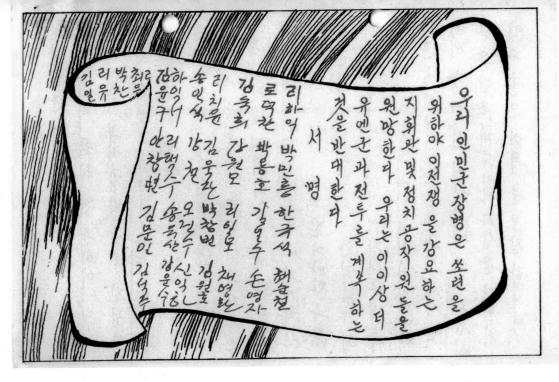

북한인민군 병사와 간부의 분열을 조장하는 삐라다. 연대서명한 성명서 형식을 차용한 점이 특이하다. 1951.8.

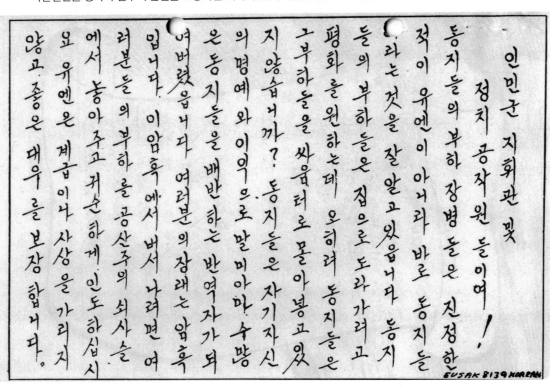

뒷면 텍스트는 내부 분열을 조장하고 귀순을 유도하는 내용이다.

PSYCHOLOGICAL WARFARE SECTION
Headquarters, EUSAK
APO 301

LEAFLET: Korean Anti-Morale (No. 1 of Korean "Nut-Cracker" Series)

LANGUAGE: Korean

DESIGNATION: Serial No. EUSAK. 8139

TARGET: Communist political directors and commissars in NKA

REMARKS: Series designed to break hard-core element within NKA

ART WORK: Sketch of scroll.

TEXT:

(Page 1)

Text on scroll---

We, soldiers of the North Korean Army, accuse our commanders and political instructors of fighting this war for Russia.

We do not approve of fighting UN forces any longer.

Signed:
(Several names listed)

(Page 2)

Political Commissars and Instructors of the NKA:

Your subordinate soldiers know you as their real enemy.

You force them to fight when they want only peace so they can go home.

For your own personal gain and prestige you have become a traitor to your own comrades.

Your future is very dark, unless you break your communist ties and help your men surrender.

The UN gives good treatment, regardless of rank or idealogical belief.

5883

500 000

미8군사령부 심리전 부대가 작성한 '분열 조장' 삐라 제작보고서. 북한군의 결속 깨기(Nut-Cracker) 시리즈 중 첫 번째 삐라라고 나온다. 타깃은 북한인민군 내 정치지도위원이다. 삐라 제작 목적은 북한군의 강한 규율에 균열을 내기 위해서다.

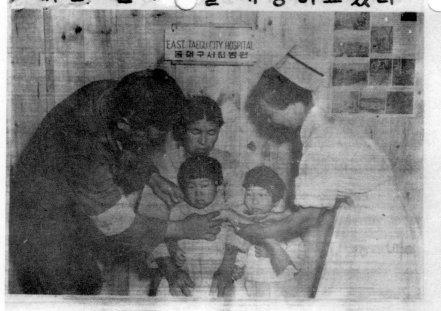

유엔기관이 [병]을 예방하고 있다

EAST TAEGU CITY HOSPITAL
동대구시립병원

미8군사령부 심리전 부대가 북한 주민과 북한인민군을 타깃으로 제작한 삐라. 대구 한 병원에서 유엔군 의사와 한국 간호사가 민간인을 치료하는 모습을 담은 선전물이다. 1951.8.

대구범어동 十日번지에 사는 전옥희 씨와 그 어린이들이 유엔병원에서 장질부사 예방주사를 맞고 있다. 유엔 의료기관은 예방주사를 실시함으로써 병마를 미연에 방지하며 한국국민의 보건을 위하여 많은 노력을 하고 있다.

EUSAK 8136 KOREAN

뒷면에는 인적사항까지 기재해 유엔군이 한국 의료보건을 위해 노력한다는 메시지를 담았다.

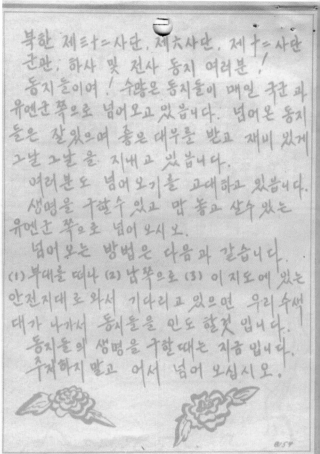

북한인민군 제5군단 병사를 타깃으로 만든 '안전보장증명서' 형식 삐라다.
약도에 5군단 예하 32사단, 6사단, 12사단 배치를 그려넣었다. 1951.8.

156

LEAFLET : Surrender Instructions and Safe Conduct Pass

LANGUAGE : Korean

DESIGNATION: Serial No. 8154

TARGET : 5th North Korean Corps

REMARKS : This leaflet is a combination Safe Conduct Pass and Map
Sketch showing NK soldiers how to reach UN lines.
Leaflet is a follow-up on other leaflets directed at
the 5th NK Corps. (Requested and designed by 7th ROK
Division)

ART WORK : Safe Conduct Pass and Map Sketch.

TEXT:
(Page 1)   F R E E

SAFE CONDUCT PASS

TO THE SOLDIERS OF THE ROK ARMY

This leaflet guarantees good treatment to North Korean
Soldiers who wish to come over to the UN lines.

Take them to your nearest officer and give them good
treatment as honorable prisoners of war.

North Korean Soldiers: Do not hesitate!

Come over to the UN lines at once!

(Map Sketch)

(Page 2) Officers and Men of the 32nd, 6th and 12th North
Korean Divisions:

Friends: Many of your comrades are coming over to the
ROK Army and UN Forces lines daily. Your comrades who
have already come over to the UN side, are safe and are
enjoying their daily life. They ask you to come over
to the UN side and join them.

Come over to the UN lines where you can save your life
and live cheerfully.

The following instructions are given to help you come
over to the UN lines:

1. Leave your unit at the first opportunity.
2. Go South.
3. Come to the safety sector as indicated in the map
   sketch and wait there until our scouts lead you to

안전보장증명서 모양의 '투항 유도' 삐라 제작보고서. 북한인민군 5군단을 타깃으로 제작한다고 적혀있다.

이 동지들을 본 받으시요

부소대장 려영히. 분대장 허민혁.
전사의의 복. 노기섭 동지들은 최근
유엔군이 뿌린 삐라에 있는 지도
를 보고 현명하게도 안전한 유엔
군지대로 넘어와 있읍니다.
지금 그들은 계급과 사상을 가
리지 않는 좋은 대우를 받고
있읍니다. 동지들도 넘어와서
둘도 없는 그 귀중한 생명을
구하십시오.
기외를 노치지말고 유엔군 쪽
으로 넘어오기만 하면 됩니다.
8153

'안전보장증명서'와 귀순 안내 약도 삐라를 보고 실제 귀순한 북한인민군 병사가 있다고 선전하고, 이들을 본받아
투항하라는 삐라. 뒷면에는 투항했다는 병사 이름을 열거하고, 이들을 따라 귀순하라고 권유하는 메시지를 담았다. 1951.8.

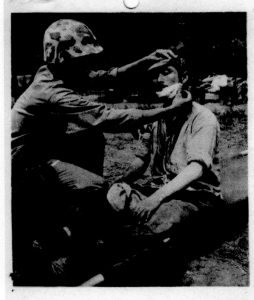

응급치료 를 받는 인민군 병사

미 유엔군상은 유엔군 쪽으로 넘어온 부상병의
九三 퍼센트 는 완쾌되였다 고 발표 하였다.
미육군군의 감「암스트롱」대장은 적 부상병
에 대한 치료 는 앞으로도 여전히 계속
할 것이라고 언명 하였다. 이 사진은 부상
당한 인민군 병사가 후방병원에 가기전
이다. 주저하지 말고 될 수 있는대로 빨리
유엔군의 응급치료를 받고 있는 광경
유엔군 쪽으로 넘어오라. 부상당한 동무도
다리고오면 적절한 치료 를 받을 것이다.
EUSAK-8135-KOREAN

북한인민군 병사가 응급치료 받는 모습을 싣고 귀순을 유도하는 삐라다.
뒷면에는 부상을 당한 귀순병도 잘 치료해 준다는 선전과 함께 귀순을 유도하는 메시지를 담았다. 1951.8.

추석은 왔건만...

추석 명절은 돌아 왔다. 그러나 저 달이 밝으면 밝을수록 동지들의 마음은 더욱 더 어두워질 것이다.
그대는 이 추석 명절에 왜 고향에 갈수 없는가 ?
고향에서는 그대가 없어서 그 얼마나 쓸쓸하게 이번 추석을 지낼 것인가 ?
부모 처자의 소식을 들은지가 그 얼마나 되는가 ?
누가 그대의 부모 처자를 돌보아 주는가 ?
대체 왜 그대는 공산주의자를 위하여 싸워야만 되는가 ?
동지들이여 ! 유엔군 쪽으로 넘어오라 !
넘어 오기만 하면 신변 보장과 좋은 대우를 받을 것이다.
유엔은 한국의 자주 독립을 보장 한다.

EUSAK 8/55 KOREAN

DECLASSIFIED
Authority NND 775C02

PSYCHOLOGICAL WARFARE SECTION
Headquarters, EUSAK
APO 301

LEAFLET   : Autumn Festival (Anti-Morale)

LANGUAGE   : Korean

DESIGNATION   : Serial No. 8155

TARGET   : North Korean Army

REMARKS   : The Autumn Festival is the second most import-
                 ant Korean Holiday. It is primarily a family
                 festival celebrated by feasting and visiting
                 the tombs of ancestors. The festival this year
                 will be celebrated on September 15.

ART WORK   : Korean mother worrying about her North Korean
                 soldier son!
                 North Korean soldier looking at the full moon
                 of the Autumn Festival and thinking of home.

───

TEXT:
    Page 1: Sketch, with caption----

             "The Autumn Festival Is Here..."

    Page 2: The Autumn (Moon) Festival has come again.
             And the bright moon makes you sad and gloomy
             as you think of your home town, parents and
             friends.

             War in itself is terrible, and the hopeless of
             this war is even more unbearable.

             Why are you not at home during this Moon
             Festival? How will your family celebrate
             this holiday? Can they be happy without you?

             How long has it been since you heard from
             your family? Who is taking care of them?
             Why must you fight and die for theCommunist
             aggressor?

             Friends: Come over to UN lines. Safety of life
             and good treatment are guarantteed.

             The UN guarantees a Free United Independent
             Korea.

왼쪽 위: 북한인민군을 타깃으로, 추석이 왔으나 고향으로 가지 못하는 신세를 자극해 사기 저하를 노린 삐라다. 1951.9.

오른쪽 위: 뒷면에는 추석을 맞아 향수를 자극하고 귀순을 유도하는 메시지를 담았다.

왼쪽: 미8군사령부 심리전 부대가 작성한 '추석 향수' 삐라 제작보고서다. 올해(1951년) 추석은 9월 15일이라고 돼있다.

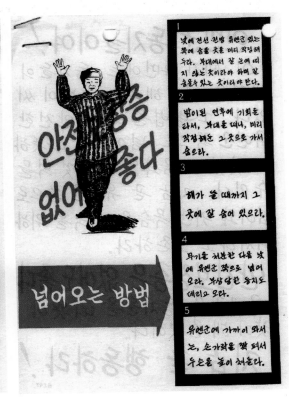

인민군 동지들이여!
이 삐라 후면에는 동지들의 생명을 보장해 주는 방법이 써 있다. 그 방법을 따라 안전한 유엔군 쪽으로 넘어오면 따뜻하고 맛있는 음식을 마음껏 먹을 수 있다. 지금 곧 유엔군 쪽으로 넘어와 귀한 목숨을 조국을 위하여서라도 보존하라.
안전보장증은 없어도좋다
유엔군은 동지들을 따뜻이 맞이해 줄 것이다.
지금 곧 행동하라!

안전보장증이 없어도 좋다

넘어오는 방법

안전보장증명서가 없어도 귀순하면 따뜻하게 맞아준다며 귀순을 유도하는 삐라다.
이 책에서 여러 종류의 '안전보장증명서' 형식 삐라를 소개했는데,
모두 귀순이나 투항 충동을 자극하기 위한 심리전의 산물임을 이 삐라가 역설적으로 보여준다. 1951.10.

뒷면에서 '안정보장증명서'가 없어도 좋다는 것을 다시 강조하며 귀순 방법을 단계별로 안내하고 있다.

북한인민군 병사들에게 귀순 행동 지침을 알리는 삐라다. 1951.10.

왼쪽: 미8군사령부 심리전 부대는 불조심 캠페인 삐라도 만들었다. 서울 시민을 타깃으로 제작한 삐라다. 1951.10.

아래: 북한인민군 병사에게 향수와 고향 걱정을 불러일으키는 삐라다. 1951.10.

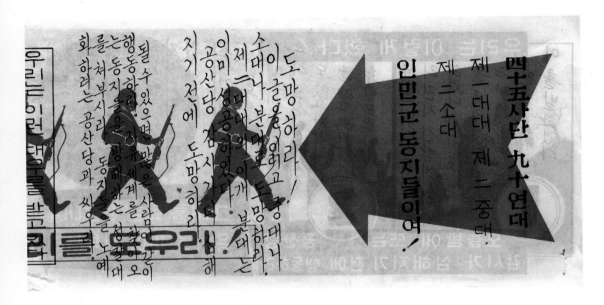

북한인민군 45사단 90연대 병사를 지목해 귀순을 유도하는 삐라다. 1951.10.

언제나 이지옥을 벗어나게되나
선량한 백성들은 죄 없이 숙청되고
인도를 벗어난짓에 고통을 받는다
공산당 때문에 !

심한 노동으로 개심을 강요당하며
뇌를 씻고 마음을 바꿔 먹어야 하니
엄중한 감시속에 묶여 있는 죽은사상
이것도 공산당 때문이다

아내는 남편을 걸어 고소하며
자식은 부모를 불뜯어 숙청하니
사회 가족제도는 허물어졌다
공산당 때문에 !

군대로 끌려가고 곡식까지 바치니
남아의 힘과 재정의 원천은 마르고
한 없는 착취가 백성을 들볶는다
이것도 공산당 때문이다

그리운 고향산천 비참하게 파괴되고
사랑하는 가족들은 흩어져 혹은 죽고
나라와 백성들이 가난속에 허덕인다
공산당 때문에 !

군문에 한번 발을 드여놓으면,
다시 빠져 나올길 없고
죽을때까지 소나말 처럼 일을 해야 된다
공산당 때문에 !

공산당의 끊임없는 감시속에서
고생을 해도 불평 한마디 말 못하고
노예와 같이 끌려다니는 가엾은 신세
이것도 공산당 때문이다

언제나 자기비판 을 강요당하며
사상검토 때문에 심문 당하며
자나 깨나 공포이다
공산당 때문에 !

저혼자 생각은 할수 있어도
언론의 자유란 없기 때문에
말 못하고 고민 하는 가련한 신세
이것도 공산당 때문이다

할수 없이 일선으로 끌려나와서
인해전술로 유엔포화 막으려다가
수백만의 동지들이 살상 당하였다
공산당 때문에 !

공산당을 향한 증오를 불러일으키게 만드는 삐라다. 1951.10.

김일성을 야수처럼 묘사해 증오심을 유발하는 삐라다. 1951.10.

청년동맹 간부가 노동당원에게 보내는 편지 형식의 메시지다. 노동당 독재에 맞서 총궐기하라고 선동한다.

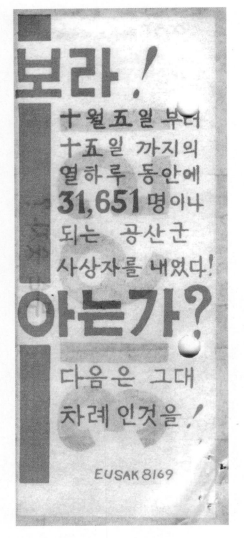

숫자를 큼직하게 내세워 의문을 불러일으키게
한 삐라다. 1951.10.15.

뒷면에서 31,651이라는 숫자가 열하루 사이의
공산군 사상자라고 알려준다.

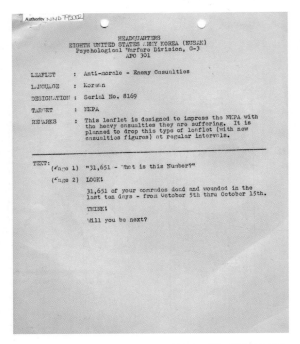

이 삐라의 정보 확인 문서다.
모두 30만 부를 제작했고, 제작일은 1951년 10월 15일이다.

'사상자' 삐라 제작보고서다.
적의 사기 저하를 목적으로 제작한다고 돼있다.

빨치산 동무들이여!
우리들은 평화스럽고 자유스러운 통
일을 위하여 모든 노력을 다하고
있읍니다. 그러므로 우리들은 한 사
람이라도 더 이 신성한 대열에 참
가함을 환영합니다. 공산주의자
들의 모략 선전에 속아 산 속에서
못먹고 헤매는 여러분을 안타깝게
생각하고 있는 부모와 처자의 심정
을 살펴 보시오. 당신들이 마을을 돌
려 돌아만 온다면, 결코 과거는 추궁하
지 않습니다. 돌아와서 조국을 위하
여 할 일이 태산 같습니다.
경찰은 책임지고 잘 대우할 것입니다.

EUSAK 5173

이순용 내무부장관 명의로 제작해 빨치산을 타깃으로 뿌린 귀순 권고 삐라다. 1951.11.

인민군 동지들이여!
영웅이라는 칭호를 아는가?
· 낙시 끝에 미끼를 달아 고기를 낚듯이
공산주의자들은 빛 좋은 개살구인
영웅이라는 칭호로 그대 동지들을 죽음
의 길로 몰아 넣으려 했다.
그 길로 몰려 동지들은 죽어 갔다. 추
왜 떠나는 영웅들에게 옷 대신에 영웅
장 선전문을 하지 않는가.
동지들이여 ! 이러한 술책에 속지
말라고, 앙양 세계를 벗으나 하루 빨
리 광명의 길에 참여하라.
유엔군 쪽으로 넘어 와서, 이미 넘어
온 동지들과 반가이 만나고 있는 수많
은 안전한 광복의 길로
주저하지 말고 곧 넘어 오라!

EUSAK 5178

북한인민군에게 훈장에 현혹되지 말고 유엔군 쪽으로 귀순하라고 권유하는 삐라다. 1951.11.16.

166

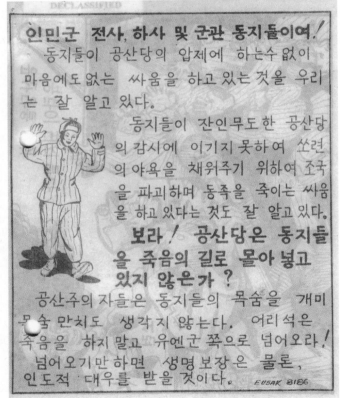

공산주의자들이 소련의 야욕을 채우기 위해 인민군 병사를 죽음으로 몰아넣고 있다며, 이를 '육탄'에 비유해 만든 삐라다.
중국어 버전이 먼저 나왔는데 효과가 입증되자 한국어 버전을 만들었다. 1951.12.4.

PSYCHOLOGICAL WARFARE DIVISION, G-3
Headquarters, EUSAK
APO 301

LEAFLET : Anti-Morale

LANGUAGE : Korean

DESIGNATION : Serial No. 8186

TARGET : NKPA

REMARKS : This leaflet is a Korean version of EUSAK
#8568 which has proven effective in surveys
of CCF PsW. It emphasizes the Communist
disregard for human life.

ART WORK : A NK Communist political officer is shown
stuffing "Cannon fodder" Korean soldiers
into the breech of a field piece while a
pleased Russian claps his hands.

TEXT:

(Page 1) Sketch, with caption---

"Do not be cannon fodder for the Communists"

(Page 2) <u>Officers and Men of the NKPA:</u>

We know that your Communist masters force you
to fight against your will.

We also know that you are being forced to kill your
brothers and destroy your sacred homeland for
imperialistic Russian ambition!

THE COMMUNISTS ARE DRIVING YOU TO AN INEVITABLE DEATH!

The Communist masters regard your valuable life as
the life of an ant. Friends, do not die for the
inhuman Communists. Leave your unit at the first
opportunity and come to UN lines.

Your safety is absolutely guaranteed and you will
receive good treatment.

미8군사령부 심리전 부대의 '육탄' 삐라 제작보고서.
북한인민군을 상대로 한 사기 저하 목적의 삐라이며, 공산주의자의 '대포 사료(cannon fodder)'가 되지 말라는 문구를 넣는
다고 쓰여있다. 'cannon fodder'는 '육탄'으로 번역해 삐라에 실었다. 동일한 콘셉트의 중국어 버전 삐라가 중국인민지원군 포
로를 대상으로 한 조사에서 효과가 있었다는 결과가 나오자, 이 한국어 버전을 만들게 됐다고 적혀있다. 또 인민군 군관이 야포
약실에 '대포 사료'인 병사를 채워넣는 것을 보며 소련군이 박수치는 일러스트가 들어간다고 돼있다.

90연대 동지들이여!

누구때문에 불에타죽는가?

북한인민군 90연대 병사를 타깃으로 유엔군 폭격으로 결국 죽게 될 것이니 그 전에 귀순하라는 내용의 삐라다. 1951.12.5.

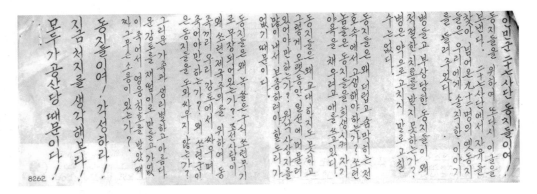

북한인민군 27사단을 겨냥한 귀순 권고 삐라다. 1951.12.5.

한 민군 四十초사단 동지들이여!

자유세계인 유엔군 쪽으로 넘어오라!

미8군사령부 심리전 부대가 북한인민군 45사단을 타깃으로 만든 귀순 권고 삐라다. 1951.12.

미8군사령부 심리전 부대가 북한인민군 45사단 병사를 타깃으로 뿌린 삐라다.
사망한 병사 사진을 전면에 내세워 공포심과 사기 저하를 유도한다. 1951.12.5.

대한민국 국군의 포소리는 천지를 진동시키고 있다. 밤 낮을 가리지 않고 대한민국 국군의 대포는 동지들을 노리고 있다! 대한민국 국군의 대포는 겁낼 것 없다고 동지들의 정치 안전장교는 동지들에게 말했을 것이다. 그러고 보니 그네들은 또 동지들을 속이지 않았던가? 동지들은 그네들의 허위선전에 싫증 나지 않는가? 동지들은 왜 쏘련을 위하여 개죽음을 하여야 하는가? 죽음을 벗어나는 길은 오직 한길 뿐이다. 안전한 유엔군 쪽으로 넘어오는 것이다. 수많은 동지들이 이미 유엔군 쪽으로 넘어와 있다. 주저하지 말라! 기회를 놓치지 말고 어서 넘어 오라!

8265

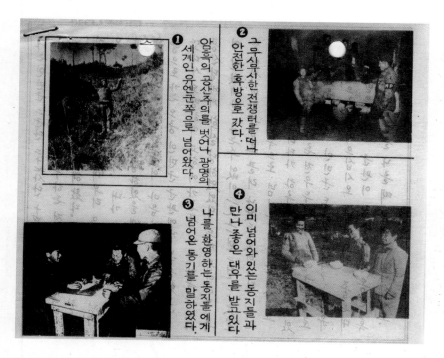

귀순 유도 삐라다. 귀순한 병사가 좋은 대우를 받는다고 선전하는 건 전형적인, 그리고 효과가 큰 심리전 소재다. 귀순 각 단계를 사진으로 표현해 사실감을 높였다. 미7사단 심리전 요원이 찍은 사진과 캡션으로 제작했다. 1951.12.10.

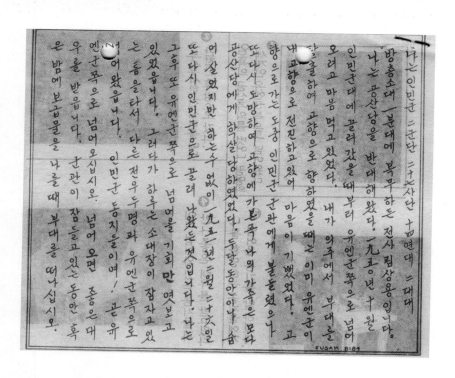

뒷면에는 한 귀순 병사가 소속과 실명을 제시하며 귀순 경위를 적고, 인민군 동료에게 귀순을 권고하는 편지 형식 글을 실었다.

지리산지구 국군 장병에게!

이 삐라를 가진 사람은 야수와 같은 도망 생활에 여지없이 피로하였다.

그는 공산주의 자들에게 속은 것을 깨닫고 귀순하려고 한다.

그를 인도적으로 대우하라!

지리산야전전투사령부
유군소장 백선엽

지리산 속에서 헤매는 공산주의 협력자들에게!

공산침략자들은 三八선 이북 멀리 밀려 나갔으니 장차 그대들은 어찌 될 것인가?

북한에 있는 그대들 동무들이 여지껏 그대들에게 해온 헛된 약속은 그대들이 우리에게 쫓겨 다니다가 결국은 죽어 없어지는 것을 의미함이 아닌가!

EUSAK 8181

DECLASSIFIED
Authority NND795002

PSYCHOLOGICAL WARFARE DIVISION, G-3
Headquarters, EUSAK
APO 301

LEAFLET   : Guerrilla Surrender Appeal

LANGUAGE   : Korean

DESIGNATION : Serial No 8180 A

TARGET   : Guerrillas of the NKPA behind UN lines

REMARKS   : This leaflet was requested by Psychological
               Warfare Officer, Task Force "Paik"

ART WORK   : None

TEXT:
  (Page 1)   To All Partisans:

             You are faced by determined forces of the
             Republic of Korea.

             They will not stop until all of you and your
             kind are destroyed or have surrendered. You
             have two choices:

             1. Resist us and die.

             2. Cease resistance and receive fair treatment
                 and the chance to live.

             The choice is yours! Remember: We are here to
             stay until Cholla-Do is free!

                           PAIK SUN YUP
                           Major General ROKA
                           Commanding Officer
                           ROK Forces in Cholla-Do

  (Page 2)   To soldiers and National Police of the ROK:

             The bearer of this leaflet has been fighting
             against the Republic of Korea in Cholla-Do.

             He wishes to cease resistance. Allow him to
             give up his weapons and surrender.

             You are commanded to treat him humanely. It is
             not your job to judge him. Pass him to the
             rear where he will be allowed to plead his case.

                           PAIK SUN YUP
                           Major General ROKA
                           Commanding Officer
                           ROK Forces in Cholla-Do

왼쪽 위: 미8군사령부 심리전 부대가 지리산 빨치산을 타깃으로 뿌린 삐라다. 1951.12.12.

오른쪽 위: 미군 심리전 부대가 만든 이 삐라 뒷면에는 "지리산 지구 국군에게 귀순하는 빨치산을 인도적으로 대우하라"는 백선엽 명의 명령문 형식 텍스트가 실렸다.

왼쪽: 미8군사령부 심리전 부대가 작성한 '백선엽 명의' 삐라 제작보고서. 백선엽 이름을 딴 지리산 빨치산 토벌대, '백야전투사령부' 의뢰로 제작했다는 내용이 적혀있다.

왼쪽: 미8군사령부가 제작한 빨치산 귀순 권유 삐라다. 1951.12.12.

오른쪽: 뒷면에는 백선엽 대신 육군참모총장 리종찬 명의의 '귀향증'이 있다. 북한인민군에게는 '안전보장증명서(SAFE CONDUCT PASS)'를 뿌렸으나 빨치산 타깃 삐라에는 '귀향증'이라는 단어를 사용했다.

빨치산을 타깃으로 제작한 삐라. 미8군사령부가 대한민국 육군 심리전 부대의 요청으로 만들었다. 북한인민군을 쥐로 그렸다. 한국군이 보내온 그림과 글귀를 그대로 사용해 만들었다. 1951.12.16.

'고양이와 쥐' 뒷면에는 육군참모총장 라종찬 명의 '귀향증'이 있다.

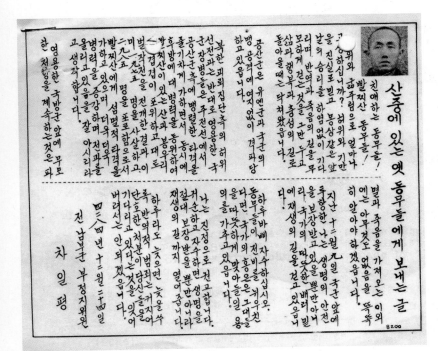

귀순한 빨치산 중 최고위급인 차일평 전 남부군 부정지위원이 삘치산에게 보내는 편지 형식의 귀순 유도 삐라다. 1951.12.24.

PSYCHOLOGICAL WARFARE DIVISION, G-3
Headquarters, EUSAK
APO 301

LEAFLET : NK Partisan - Surrender Appeal

LANGUAGE : Korean

DESIGNATION : Serial No. 8200

TARGET : NK Partisans in South Korea

REMARKS : This leaflet was produced at the request of ROK Psywar Section. The text was furnished by them and only minor changes were made by this headquarters.

ART WORK : Photograph of NK Partisan in upper right corner of text.

TEXT: (Page 1) To my dear former comrades who are in the mountains.

My dear comrades! Partisan comrades! How severely you are suffering from the cold and hunger! You've been expecting a dream victory, believing the false promises of your leaders and taking the way to death and treason against your country.

Now, the time has come for you to abandon these ways and come back to the way of life, happiness and loyalty. The Communist armed forces are driven far back north by the ferocious attack of the UN and the ROKA. Contrary to the Communist's false propaganda, the heroic and brave soldiers of ROKA are inflicting heavy casualties upon the Communist army at the front lines and at the same time the ROKA has mobilized large scale armed forces in order to liquidate the partisans.

I think you will know that they have surrounded the mountains and hills where the partisans are and are engaged in the liquidation of the partisans, and as the result of this liquidation, 1,975 partisans were killed and 2,985 were captured, thus the ROKA has inflicted a deadly blow to the partisans. You must realize that nothing will be left for you but death and destruction, if you will continue this senseless resistance.

I surrendered to the ROKA on December 9, and have been guaranteed not only my life but the chance to start a new one as a real Korean. The warm hearted compassion of our country made this possible. Your absurd resistance is the way to the death and destruction, but surrendering is the way to happiness, life and loyalty.

Comrades! Surrender to the ROKA at once! The racial compassion of this country will accept you warmly if you repent the error of your past activities. I appeal to you in dead earnest to surrender to the ROKA and assure that you will be guaranteed not only your life but a bright new life. The longer you stay with the partisans, the more traitorous crimes you commit, so you must not forget the severe punishment of the ROKA if you continue to commit more.

CHA IL-PYOUNG
Former Vice-Political Commissioner
of the Southern Part Army.

미8군사령부가 작성한 '차일평 편지' 형식 삐라 제작보고서. 한국군 심리전 부서의 요청과 그들이 보낸 텍스트로 만들었으며, 오른쪽 상단에 차일평 사진이 들어간다고 적혀있다.

어제의 공비도
돌아오면 내 형제

대한민국만세
돌아오라
육군제773부대로
8196

뉘우치면 죄 없다
너도 나도 대한남아

대한민국만세
돌아오라
육군 제773부대로
8197

미8군사령부가 한국
군 요청으로 제작한
포스터다. 남한 내 빨
치산을 겨냥해 만들었
다. 1951.12.30.

빨치산 대원을 타깃으로 한 귀순 유도 삐라다. 1951.12.

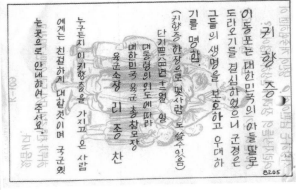

왼쪽: 고향에 두고 온 아내와 자식을 떠올리게 해 빨치산 대원의 귀순을 유도하는 삐라다. 1951.12.

아래: 뒷면에는 한국 육군 총참모장 리종찬 명의의 '귀향증' 형식 텍스트를 담았다. '귀향증'은 고향으로 돌려보내는 증명서 같은 뉘앙스를 풍기지만 실제는 그렇지 않다는 점에서 심리전의 기만술을 보여준다. 1951.12.

동상
이 병정은 더 싸울수 없다

1128

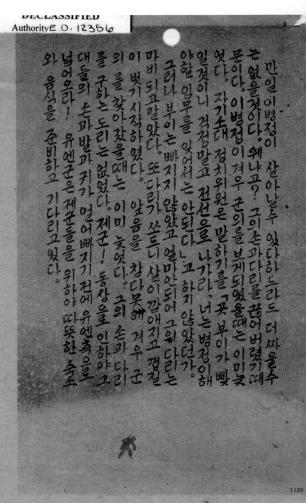

만일 이 병정이 살아 날수 있다하드라도 더 싸울수 는 없을것이다. 왜냐곡? 그의 손과 다리를 끊어 버렸기 때문이다. 이 병정이 겨우 군의를 보게되었을 때는 이미 늦 엇다. 자긔 소대 정치위원은 말하기를, 곧 부이가 빠질 것이니 걱정말고 전선으로 나가라, 너는 병정이 해 야할 임무를 잊어서는 안된다. 고 하지 않았던가. 그러나 부이는 빠지지 않았고 얼마안되어 그의 다리는 마비되고 말았다. 또 다리가 쓰니 살이 깜 애지고 겹질 이 벗기 시작하였다. 그의 앞옴을 참다못해 겨우 군 의를 찾아 갔을 때는 이미 늦엇다. 그의 손과 다리 를 구하는 도리는 없었다. 제군! 동상으로 인하야 그대들의 손과 발과 귀가 얼어빠지기 전에 유엔군 측으로 넘어오라! 유엔군은 제군들을 위하야 따뜻한 숙소 와 음식을 준비하고 기다리고 있다.

1128

손과 발에 동상을 입은 병사를 내세워 북한군 병사의 사기 저하를 노린 삐라다. 1951.12.

'동상' 삐라 뒷면에는 동상 걸린 병사가 살아나더라도 더 이상 싸울 수는 없다며,
손, 발, 귀가 얼어빠지기 전에 따뜻한 숙소와 음식을 준비해둔 유엔군 쪽으로 귀순하라고 권유한다.

미8군사령부 - 1952

귀순한 빨치산 대원이 고향으로 돌아오고 마을 사람이 환영하는 장면을 담은 투항 유도 삐라. 미8군사령부 심리전 부대가 한국군 요청으로 제작해 지리산 토벌대 '백야사'에 공급했다. 1952.1.2.

뒷면에는 투항자 실루엣 아래에 "I surrender"라는 영문을 새겼다.

미8군사령부 심리전 부대가 중국인민지원군 전술 부대를 타깃으로 유엔군의 압도적 공군력을 강조해 그들의 사기를 꺾으려는
목적으로 제작한 삐라다. 미군 공군력은 독수리, 공산군 공군력은 말뚝에 묶인 닭으로 묘사했다. 1952.1.5.

이 삐라 모음은 미8군사령부 심리전 부대가 북한인민군 2군단 27사단 예하 각 부대 병사를 타깃으로 제작, 살포한 동일 포맷의 삐라를 한데 배치한 것이다. 기본 골격은 같지만 각 연대 출신 귀순자의 손편지를 각각 넣었고, 색깔을 달리했다. 특정 지역, 특정 그룹을 목표물로 삼는 전술 삐라 심리전 전형을 보여준다.

삐라 뒷면에는 공통적으로 제네바 협정에 따라 대우한다는 약속을 적었다. 1952.1.

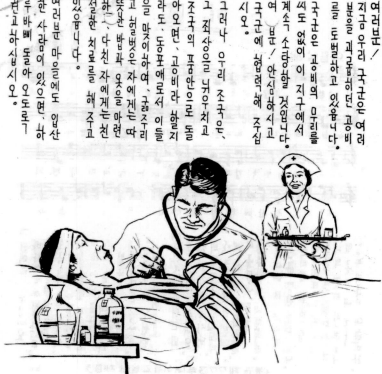

여러분!

지금 우리 국군은 여러분을 괴롭히던 공비를 계속 소탕하고 있습니다.

국군은 공비의 머리를 씨도 없이 이 지구에서 계속 소탕할 것입니다. 여러분! 안심하시고 국군에 협력해 주십시오.

그러나 우리 조국은, 그 죄상으로 뉘우치고 조국의 품안으로 돌아오면, 공비라 할지라도, 동포애로서 이들을 맞이하여, 구급자리고 허술했던 옷을 마련하고, 따뜻한 밥과 옷을 마련하여, 다친 자에게는 친절한 치료를 해주고 있습니다.

여러분 마을에도 입산한 사람이 있으면, 하루바삐 돌아오도록 권고하고 싶습니다.

미8군사령부 심리전 부대가 한국군 요청을 받아 제작한 삐라다. 빨치산 활동 지역 인근에 거주하는 민간인을 타깃으로 뿌렸다. 공비(공산비적), 즉 빨치산 소탕에 협력하라는 내용이다. 1952.1.12.

〈육군 제773부대이동교육대 제공〉

뒷면에는 특이하게 김동진이 작곡한 '내 조국' 악보와 가사를 게재했다. 김동진은 대표적 친일 음악인으로 민족문제연구소가 발간한 친일인명사전에 등재된 인물이다.

1952년으로 넘어오면서 미8군사령부 심리전 부대는 한국군의 요청을 받아 '귀향증' 형식 귀순 유도 삐라를 다양한 콘텐츠를 넣어 제작한다. 단조로움을 피하고 흥미를 유발하기 위한 의도로 추정한다. 뒷면에는 전부 지리산 토벌대 백선엽 명의의 '귀향증'으로 동일한 텍스트를 넣었지만 앞면은 큼직한 볼드체 의문문과 삽화를 배치했다. "과학적 신수 보는 법", "다시 살 수 있는 길", "빨치산이 모르는 한 가지", "어느 것을 택할 것인가?" 등으로 눈길을 끈다. 1952.1.

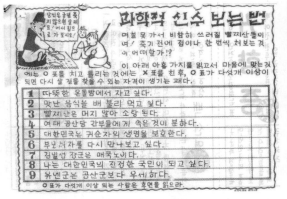
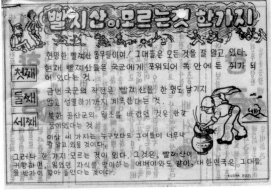

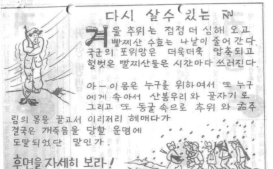

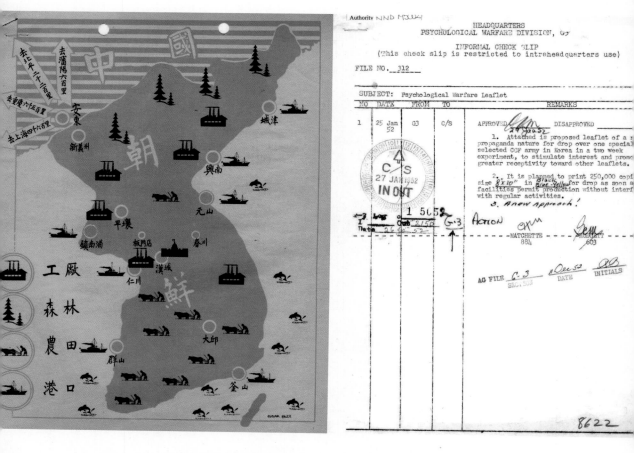

왼쪽: 미8군사령부 심리전 부대가 중국인민지원군을 타깃으로 살포한 삐라다.
한반도 지도에 지역별 주요 산업, 즉 공업, 임업, 농업과 주요 항만 지역을 표시했다. 직접적인 프로파간다 목적이 아니고
향후 중국인민지원군이 유엔군 삐라에 좀 더 친숙하게 반응하도록 유도하기 위해 만든 삐라다. 1951.1.25.

오른쪽: '산업 지도' 삐라 정보 확인 문서다. 모두 25만 부를 제작했다.
결재자가 남긴 '새로운 시도(A new Approach!)'라는 메모가 눈에 띈다.

북한인민군 45사단 병사를 타깃으로 제작 배포한 삐라다. 소련의 스탈린이 김일성을 조종하고 있다고 선전한다. 1952.2.20.

유엔은 구세주다!

유엔 구제위원회에서는 쌀을 서울 주민에게 무상 배급하고 있다.
공산당도 쌀을 배급해 주지만 그것은 그대들이 만든 쌀인 것이다.

"유엔은 구세주다!" 미8군사령부 심리전 부대가 북한 주민을 타깃으로 만든 유엔 선전 삐라다. 모두 50만 장을 제작했다. 1952.2.26.

농부들이 돼지에게 먹을것을 주고 있다. 이 돼지는 유엔이 농부들에 게 노나준 것이다. 남한에는 먹을것이 늘어가고 북한에는 줄어들고 있다.
남한의 농부들과 아이들이 유엔이 준 젖 짜는 소를 먹이고 있다. 남한에서는 유엔이 소를 노나 주는데 북한에는 공산당이 뺏아가고 있다.
남한에서는 매달 수천 마리의 병아리를 기계로 까서 남한 각지에 노나주고 있는데 북한에서는 강탈만 해가고 있다.

유엔은 남한의 농장을 부흥시키고 있다

미8군사령부 심리전 부대가 북한인민군과 중국인민지원군 등을 타깃으로 제작해 살포한
'SAFE CONDUCT PASS' 형식 삐라다. 앞면은 영문, 뒷면에는 한글과 중국어를 병기했다. 50만 장을 제작했다.
'SAFE CONDUCT PASS'는 보통 '안전보장증명서'로 번역했는데 이 삐라는 '신변안전보증서'다. 1952.2.27.

북한 공산당과 주민 사이 분열을 유도하는 삐라다. 1952.2.28.
뒷면에는 소련 조종을 받는 꼭두각시로 김일성을 묘사했다.

북한 지도부와 북한 주민 간 분열을 조장하는 또 다른 삐라다.
1952.2.29.

미8군사령부가 빨치산을 타깃으로 제작한 투항 권유 삐라다. 1952.4.

뒷면에는 북한 공산당이 빨치산을 버렸다며 사기 저하를 노린 메시지를 담았다.

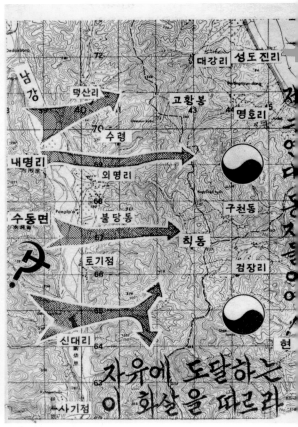

북한인민군 47사단 2연대 병사를 타깃으로 뿌린 삐라다. 1952.4.

뒷면에선 지도 위에 귀순 경로를 화살표로 표시했다. 강원도 고성 일대 전선이다.

"봄! 봄은 다시 돌아왔건만!" "마음껏 포옹하고 싶어요" 멀리 전선으로 떠난 남편에게 아내가 보낸 편지를 가장한 삐라다.
사기 저하와 전선 이탈을 노렸다. '비밀 연락병 제3호'라는 것과 주변을 경계하는 표정이 흥미롭다. 1952.4.15.

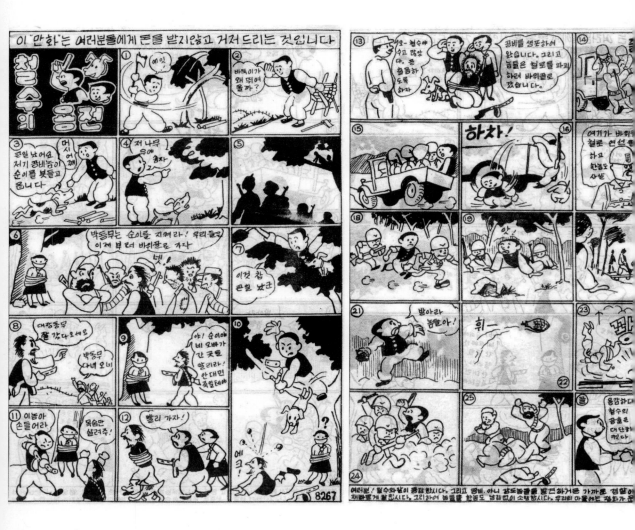

미8군사령부 심리전 부대가 만들어 배포한 반공 만화 '철수의 용전'.
마지막에 공비를 신고해 한 놈도 남김없이 소탕하자는 문구가 있다. 1952.4.

지게와 비행기의 싸움

우리는 이십세기 문명 시대에 호랑이와 토끼싸움을 구경하고 있다. 지게나 마차로 비행기와 싸우는 것이 그것이다.
아무리 지게로 길 닦이를 하고 아무리 마차로 실어 낸들 그것을 보자 마자 유엔 비행기가 여지없이 부셔 버리니 보급이 계속되지 못할 것은 정한 이치다.
원시적 방법으로 과학무기에 대항이 되겠는가?

미8군사령부 심리전 부대가 북한인민군을 타깃으로 만들어 뿌린 사기 저하 유도 삐라다. 압도적인 무기 차이를 비행기와 지게로 비유했다. 1952.4.

미8군사령부 심리전 부대가 미군의 공군력을 비호로 묘사해 만든 삐라다. 적의 전의를 꺾기 위해서다. 1952.4.

북한 체제를 비판하고 분열을 조장할 목적으로 제작한 만화 선전물 '똘똘이' 시리즈다. 1952.4.

미8군사령부가 북한인민군과 주민을 타깃으로 소련을 향한 적개심을 불러일으킬 목적으로 제작한 삐라다. 1952.4.

김일성과 모택동 비판 삐라다. 1952.4.

'무장한 평화의 비둘기' 이미지는 북한, 소련, 중국의 이중성을 선전할 때 미국 심리전 부대가 자주 쓰는 양식이다.

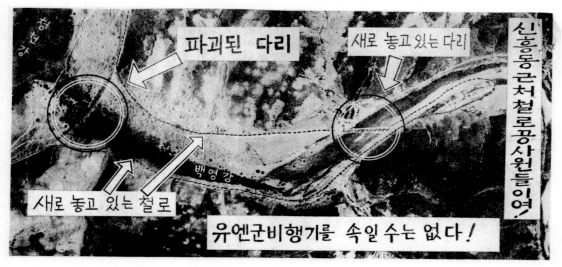

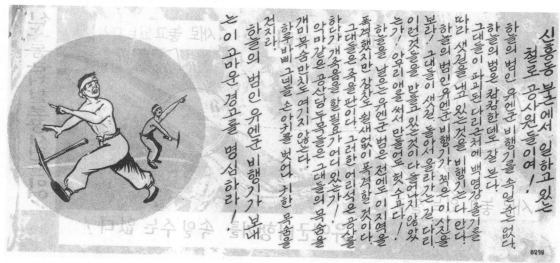

북한 청천강 일대에서 미군 공습으로 파괴된 다리와 철로 복구 공사를 하는 노동자에게 폭격을 경고하는 삐라다. 1952.4.

오른쪽 페이지: 미8군사령부 심리전 부대가 두 달 전인 1952년 4월 폭격 경고 삐라를 뿌린 청천강, 신흥동 일대에서 여전히 교량과 철로 복구 작업을 하고 있는 노동자를 타깃으로 다시 폭격 경고를 한 삐라다. 1952.6.17.

철로 공사원 들이여!

하늘의 범인, 유엔군 비행긴 그대들이 신흥동 근처에서 샛길, 다리를 놓고 있는 것을 다 알고 있으며 폭격할 것이라고 얼마전에 경고 했다!

유엔군 비행가가 쉴새없이 폭격할 것이거나 아무리 애를 써서 그런 공사를 했대자 헛수고다. 하늘의 범인 유엔군 비행가 그 위력을 발휘하자마자 그대들의 수고는 수포로 돌아가지 않았는가! 악마 같은 공산당 두목들을 위하여 그런 어리석은 공사를 하지 말라! 유엔군의 폭격은 계속될 것이며 그대들이 만든 것을 부셔버릴 것이다.

두번째 보내는 유엔군의 이 고마운 경고를 명심하라!

그곳을 도망해서 목숨을 살리라!

두번째 경고

8303

신흥동근처 철로공사원들이여!

유엔군 비행긴 약속대로 폭격했다!

북쪽 오랑캐의 침입을 용감히 물리친 우리
선렬의 찬란한 업적을 그대들은 중공 오랑캐
앞잡이 노릇을 해서
망쳐 버릴 작정
인가 ?

ㅍ-138 8269

북쪽 침략자를 물리친 역사적 기록

서기		
612년	수나라군 침입	을지문덕 장군이 청천강에서 격멸
645년	당나라군 침입	천개소문 장군이 안시성에서 격퇴
1018년	길 단위 침입	강감찬 장군이 물리침
1107년	여 진의 침입	윤관장군이 정벌하고 아홉성을 쌓음
1270년	몽 고의 침입	자비령 이북이 몽고령이 됨
1627년	후 김의 침입	격퇴 시킴
1636년	병 자 호란	격퇴 시킴
1945년	쏘련의 북한침입	누가 격퇴할것인가 ?
1950년	중공 오랑캐의침입	

북쪽으로부터 침입한 오랑캐를 물리친 선조들
영웅적 분투를 보라 !

그런데 그대들은 무엇 때문에 오랑캐에게
이 강산 이 민족을 바치려고 하는가 ?

중국인민지원군을 오랑캐에 비유하면서 분열을 조장하는 삐라다.
1952.4.

중국인민지원군과의 분열을 조장하기 위해 과거 북쪽에서의 침공 역사
를 표로 정리했다.

오른쪽 페이지 위: 야수의 손이 죽음과 암흑을 가리킨다. 적을 표현할 때 비인간화를 넘어 야수, 괴물로 묘사하는 건 한국전쟁기
심리전 삐라에서 흔히 찾아볼 수 있다. 1952.4.

아래: 고향에 두고 온 처와 아기를 떠올리게 만드는 삐라다. 뒷면에는 아기와 어머니라는 제목의 시조 형식 텍스트를 게재했다.
내무서원의 약탈, 중국인민지원군의 겁탈 등을 언급하며 적개심을 불러일으킨다.

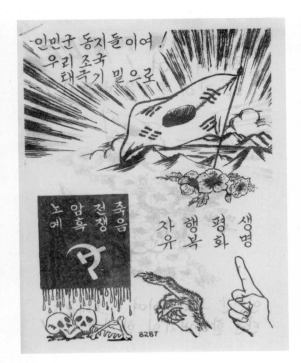

1952년 5월 1일 국제노동절을 맞아 일제에서 해방된 후 첫 노동절(1946년)과 6년 뒤인 현재(1952년)
김일성과 북한 노동자의 관계를 풍자한 선전 삐라다. 1952.5.1.

1952년 어린이날을 맞아 제작한 '전쟁과 어린이' 만화. 1952.5.

미8군사령부 심리전 부대가 제작 배포한 '한국재건화보' 3호. 제호를 내세우며 신문 형식으로 발행한 선전물이다. 1952.5.

인민군 동지들이여! 이 날을 기억하라!

6.25! 이 날을 기억하라.

二年 전에 공산당 두목들은 비겁하게도 남한 동포를 공격하였다. 지난 二년 동안에 그대들의 지도자들이 얻은 것은 이것이다.

(1) 북한의 아들 딸들에게 七二五,○○○명이 넘는 사상자를 내었다.

(2) 그대들의 집을 비롯하여 도시와 농촌을 파괴 당하였다.

(3) 동지들의 가족들은 노예와 굶주림과 죽음 속에서 허덕이고 있다.

(4) 북한 인민들은 그얼마나 비참한 안명에 빠졌는가! 쏘련 공산당의 앞잡이인 중공이 북한을 지도 하고있다.

6.25! 이 날을 기억하라!

이 날을 축하해야 옳을가!

한국전쟁 발발 2년을 맞아 전쟁 2년간 72만 5천 명의 인민군 사상자가 발생했다며
공산당 지도부와 소련 및 중국을 비난하는 삐라다.

뒷면에 공산당 로고와 피로 물든 6.25를 인쇄했다. 1952.6.

1. 6.25 전란을 이르킨 자는 김일성 이다.
2. 이 민족을 파멸에 빠뜨린 자도 김일성 이다.
3. 이 강산을 재떠미로 만든 자도 김일성 이다.
4. 각 가정에서 아들 딸을 끌어낸 자도 김일성 이다.
5. 집집마다 강제노동에 끌어낸 자도 김일성 이다.
6. 이 강산을 해골로 덮은 자도 김일성 이다.

만고 역적 김일성, 쏘련 앞잡이 김일성에게 총뿌리를 돌리라! 이 강산을 재떠미로 만들고 이 민족을 피 바다에서 헤매게 한것은 모두 김일성의 죄악인 것이다.

돌아 보라! 6.25의 참상을!

위: 한국전쟁 2주년을 맞아 김일성을 야수화한 삐라. 1952.6.

아래: 한국전쟁 발발 2주년을 맞아 2년간 미국 공군이 북을 보복 공격해 거둔 실적을 선전하는 삐라. 1952.6.

인민군 동지들이여!

二번전에 공산당 두목들은 비겁하게도 남한동포를 공격하였다. 지난 二년동안 싸운 결과 얻은 것은 무엇인가? 아름다운 강토에는 무슨 일이 버러졌나? 다음 숫자를 보면 유엔공군 반으로도 공산 침략에 어떻게 보복하였는가를 대번 알수 있을 것이다.

	파괴 된것	손해를 입은것
건 물	127,769	109,186
군용차	56,230	4,409
마 차	2,816	
보급창	1,346	593
다 리	2,100	5,233
탱 크	1,105	980
차 량	14,001	27,084
포 대	5,406	2,531
병 역	239,023	
철로차단	34,118	
비 행 기	445	588

이것이 공산 침략자가 당한 유엔군의 보복이다. 유엔군 비행기가 북한 상공을 도전도 받지 않고 마음대로 날으고 있는 것을 여러분은 두눈으로 똑똑히 보았을 것이다.

공산당 두목들은 우리 강토를 파괴하도록 만들었으며 외국 총노릇을 북한 인민에게 강요 하고 있지 않은가!

인민군 제 1사단 군관, 하사관,
및 전사들이여!

대들의 사단은 2년 동안이나
터에서 끌려 다니고 있다. 그동안
은 사상자를 내었으며 또 적지
보충병도 나타났을 것이다.

하사관 및 전사들이여! 개성 지역
격하는 어리석은 전투에 강제로
나갔던 동지가 얼마나 되는가?
참하였던 강계. 함흥. 평창. 시절
고 해보라! 수 많은 동지들이 값
희생되어 까마귀 밥이 되지 않
가!

관 동지들이여! 동지들 중 몇
교대 되었는가? 동지들은 중
김경모. 중성사 강종수를 기억
가? 공산당 두목들이 부르 짓는
후의 승리"도 보지 못하고 죽어
지 않았는가!

관, 하사관 및 전사들이여!
들은 장차 어떻게 될 것인가?
나 교대될 것인가? 죽어 백골
되어야 교대될 것인가?

화를 찾으라! 살아야 만 부모
를 다시 만날수 있다.
조국과 그대 자신을 위하여 유엔군
로 넘어와 평화와 자유를 찾으라.

그대들이 피를 흘린지
어느덧 3년이 되었다!

6
25

공산침략의 시험장에서 그대들은
언제까지 피를 흘릴 작정인가?

미8군사령부 심리전 부대가 북한인민군 1사단 병사를 타깃으로 만든 귀순 촉구 삐라다. 1952.6.
공산당의 손아귀에 고혈을 빨리는 사람 아래로 해골이 즐비하다.

인민군 제十三사단 군관, 하사관 및 전사들이여!
그대들의 사단은 二년 동안이나 싸움터로 끌려 다녔다. 그동안 많은 사상자를 내었으며, 후련도 제대로 받지 못한 보충병도 많이 끼어 있을 것이다. 생지옥을 연상케 하던 송정동 전투를 동지들 중 몇 동지나 기억하고 있는가? 어리석고 승산 없는 전투를 하던 일, 밤낮 할 것없이 행군하며 후퇴만 하던 일이 생각나지 않는가?
춘천, 강계, 마주, 청주, 원리 시절을 기억하는가? 그때 함께 밥이되어 까마귀 밥이 되어 버렸을 것이다. 동지는 몇 남지 않고, 다죽어서
그 비참하였던 시절을 기억할 것이다.
그대들은 또다시 공격 사용이되어 있는가?
인민군대에 붙어 있으면 죽는 도리밖에 없다.
현명한 군관, 하사관 및 전사들이여! 그대들은 장차 어떻게 될 것인가?
조국과 가족을 위하여 목숨을 살리라! 유엔군 쪽으로 넘어와 조국에 평화를 가져
오며 자유를 찾으라!

북한인민군 13사단 병사를 타깃으로 뿌린 삐라다. 인공기에 별 모양 대신 해골을 그려넣었다.
그 아래로 까마귀가 해골을 쪼고 있다. 1952.7.

북한 동포 여러분!

이 사진을 보면 평양 비행장이 얼마나 파괴되었는지 넉넉히 알수 있읍니다.

유엔군 비행기의 폭격으로 북한에 있는 중요한 비행장이 모조리 파괴된 사실을 아십니까?

공산군 비행기나 대공포는 북한상공을 마음대로 날으고 있는 유엔군 비행기를 못막아내고 있음을 여러분은 두 눈으로 똑똑히 보고 있지 않읍니까? 이것을 보아도 공산당 두목들은 여러분을 속이고 있지 않읍니까?

쏘련과 중공에서 가져왔다는 비행기와 대공포는 어디 있읍니까? 있대짜 그런것이 무슨 소용이 있겠읍니까?

하늘의 범인 유엔군 비행기가 폭격할 공산군 비행장을 고치다가 죽는 것은 그 얼마나 어리석은 노릇입니까?

생각해 보십시오! 공산 침략자들이 북한에 가져온 것은 죽엄과 파괴뿐입니다.

유엔군은 비참한 지경에 빠져 있는 북한동포를 동정 합니다.

숨으십시오! 공산당을 도와 주지 마십시오! 살아서 자유 조국을 재건 하십시오!

8310

이것이 평양 비행장 이다!

북한에 있는 중요한 비행장은 이렇게 파괴되었다!

미8군사령부 심리전 부대가 북한 비행장 복구 노동자와 북한 주민을 타깃으로 뿌린 폭격 경고 삐라다. 1952.7.8.
뒷면에는 융단폭격을 당하는 평양 비행장 항공 사진을 실었다.

인민군 동지들이여!

후방에서 중공군이 그대들 가족에게 강제로동을 시키고 있는 사실을 그대들은 아는가?

길을 닦고 철로를 고치고 구덩이를 파는데 밤낮 노인네 부인네 심지어 아이들까지 강제 동원을 시키고 있는 것이다!

중공군은 먹을것도 주지않고 무보수로 구덩이를 파게하며 구덩이 속에서 재우는 사실을 그대들은 아는가?

뻬뻰이 먹지도 못하고 로동이 심해 서대를 가죽은 대부분 병을 앓고 있다.

위험한 일을 하다가 죽는 수도 많다.

북한을 지배하고 있는 것은 중공군 임을! 그대들이 일선에서 싸우는 사이 그대들 가족은 이런 고통을 당하고 있다.

경계하라! 중공군 이야말로 그대들의 진짜 적이다!

8311

인민군 동지들이여! 중공군은 그대들의 가족을 종처럼 부려먹고 있다!

미8군사령부 심리전 부대가 북한인민군을 타깃으로 제작한 중국인민지원군과의 분열 조장 삐라다. 1952.7.11.

오른쪽 페이지 위: 북한인민군을 타깃으로 제작한 삐라. 남한 체제의 우월성을 선전한다. 1952.7.14.

아래: 북한인민군을 타깃으로 투항 요령을 안내한 삐라다. 뒷면에는 유엔군 무기 앞에서는 참호를 파봐야 소용없다는 메시지를 선전한다. 1952.12.

자유대한은 부른다!

인민군 전사 여러분!

그대들은 공산주의 사회에서 행동의 자유가 있었던가? 그대들은 말 한마디 자유로 할수 있었던가? 그 무시무시한 감시의 눈초리는 그대들의 자유를 구속하고 있지 않은가? 자유천지 대한은 부른다. 같은 배달 민족인 그대들이 동족애가 넘치는 대한의 품으로 들어오기를 외친다.

9315

음, 어디 말 한마디 할수 잇나...

공산당 밑에서는 꼼짝도 할수 없어!

E-151

인민군 동지들에게!

무기를 버리고 유엔군 쪽으로, 넘어 오라! 우리는 서로 다 동지다! 그대의 묵숨을 구하려거든 이렇게 하여라!

一, 유엔군 쪽으로 낮에 가까이 오라.

二, 유엔군이 보이는 지점에 와 서는, 두 손을 높이 펴 들고, 똑바로 걸어 오라.(이 사진처럼)

三, 계급과 사상을 안 가리고 잘 대우한다.

우수한 유엔군의 병력과 무기 앞에서 참호를 판댓자 죽음을 면하지 못할것이다.

무정하기 짝이 없는 공산주의자들은 그대들을 불바다로 몰아넣고 왔다.

그대가 택할길은 오직 하나다. 뒷장에 있는 지시대로 안전한 유엔군 쪽으로 넘어 오라!

때를 놓치지 말고 곧 넘어 오라!

EUSAK-8404 R

미8군사령부 심리전 부대가 북한인민군을 타깃으로 투항을 유도하기 위해 제작, 살포한 삐라다. 귀순 과정을 대사 없이 직관적으로 볼 수 있는 6컷 만화로 표현했다. 1952.12.

```
              PSYCHOLOGICAL WARFARE DIVISION, G-3
                      Headquarters, EUSAK
                          APO 301

LEAFLET      :  Anti-Morale  -  Surrender Appeal

LANGUAGE     :  Korean

DESIGNATION  :  Serial No.  8407

TARGET       :  NKPA

REMARKS      :  This leaflet is a Korean version of Chinese
                leaflet #8600.  Survey results indicate that
                the "mute" cartoon character employed in this
                leaflet, can convey the intended message to
                both a literate and illiterate audience in an
                effective manner.  A surrender appeal message
                is used on the reverse side.

ART WORK     :  Six panel cartoon showing adventures of a NKA
                soldier.

_____

TEXT:
        (Page 1)  Six panel cartoon---

        (Page 2)  ESCAPE!  SAVE YOUR LIFE.

                  COME OVER TO UN LINES.
```

미8군사령부 심리전 부대가 작성한 '6컷 만화' 삐라 제작보고서다. 앞서 중국어 버전 삐라가 효과 있어 한국어 버전도 제작한다고 적혀있다. 대사 없는(mute) 만화라서 글을 읽지 못하는 사람에게도 메시지를 전할 수 있다고 돼있다.

불행한 인민군 동지들이며

추운 겨울이 또다시 닥쳐 왔읍니다. 또 하나의 무서운 적인 추위는 이미 수많은 동지들의 생명을 빼앗아 갔읍니다. 땅이 꽁꽁 얼어서 시체를 묻을래야 묻을수도 없는 형편이읍니다. 그런데도 공산당 간부들은 승산없는 침략전을 여전히 계속하려 듭니다.

인민군 동지여러분! 생명을 구하십시오! 부대를 떠나 유엔군 쪽으로 넘어 오십시오. 넘어오기만 하면 계급과 사상을 가리지 않고 좋은 대우를 해드립니다. 주저하다가는 무서운 추위에 얼어 죽고야 말것 입니다. 살길을 찾아 유엔군 쪽으로 넘어 오십시오!

EUSAK 8179

미8군사령부 심리전 부대가 한국전쟁 발발 이후 세 번째 겨울을 맞이해 북한인민군의 사기 저하를 노리고 제작한 삐라다. 인민군 포로 상대 인식 조사를 해 만들었다. 1952.12.

DECLASSIFIED
Authority NND 775002

PSYCHOLOGICAL WARFARE DIVISION, G-3
Headquarters, EUSAK
APO 301

LEAFLET : Cold Weather - Anti-Morale
LANGUAGE : Korean
DESIGNATION : Serial No. 8179
TARGET : NKPA
REMARKS : The art work in this cold weather leaflet was surveyed on a group of 30 North Korean PsW. All but one of the PsW were convinced that this sketch would be effective in lowering the morale of North Korean troops. Each PW was then asked to tell what was happening in the sketch and their descriptive stories formed the basis for the written text. In general, this particular sketch excited feelings of self pity in the PsW and brought to their minds the more unpleasant aspects of winter warfare.

ART WORK : Sketch of NK soldier walking in the snow and carrying a stricken comrade.

TEXT:
(Page 1) Sketch, with caption---

"A Winter Tragedy"

(Page 2) Unfortunate soldiers of the NKPA:

Winter warfare is upon you for the second time. Your bitter foe - THE COLD - has already taken its toll of your comrades.

Many of your comrades have already perished and you can dig no grave for them in the frozen ground. Your Communist leaders continue their aggressive war!

Comrades: Save yourselves! Warmth and food means life. Leave your unit and come to the UN lines. All men of the NKPA, officers and cadre alike are given the same good treatment.

Tomorrow may mean another victory for your enemy - THE COLD!

TOMORROW MAY BE TOO LATE! ESCAPE NOW!

8181

미8군 심리전 부대가 작성한 '동계 사기 저하' 삐라 제작보고서. 북한인민군 포로 30명을 상대로 심층 조사한 결과를 토대로 삐라를 제작했다고 한다.

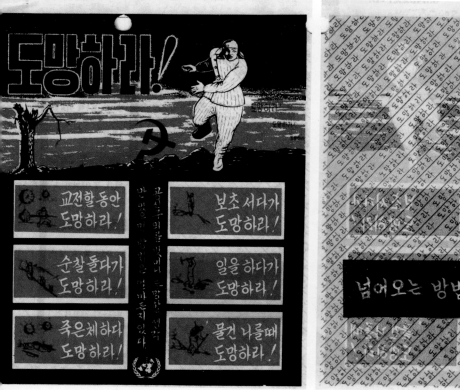

북한인민군 병사를 타깃으로 근무지 이탈 방법을 안내하는 삐라다. 1952.12.
뒷면에는 유엔군에 귀순하는 방법을 안내하고 있다.

공비 소탕전에

적극 협력하라!

군경을 도웁는 일에

수고를 아끼지 말라!

EUSAK 8182

남한 주민을 대상으로 빨치산과의 전투에 협조하라는 삐라다. 1952.12.

계엄 지구 주민에게 고함

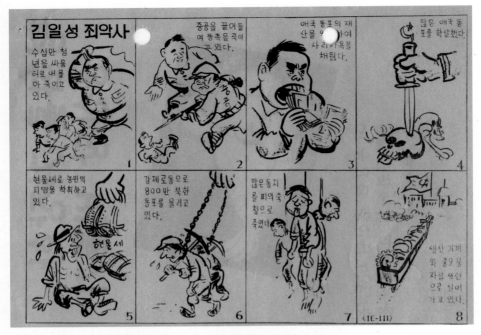

북한인민군과 주민을 타깃으로 제작한 '김일성 체제' 비판 삐라. 북한 내부 분열을 노렸다. 1952.12.

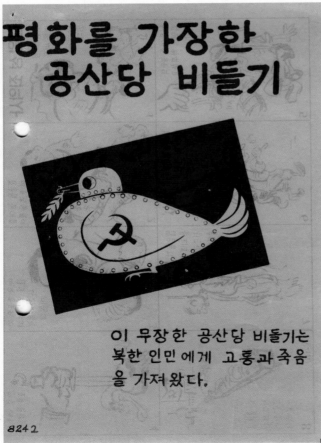

뒷면에는 '평화를 가장한 공산당 비둘기'를 넣었다.

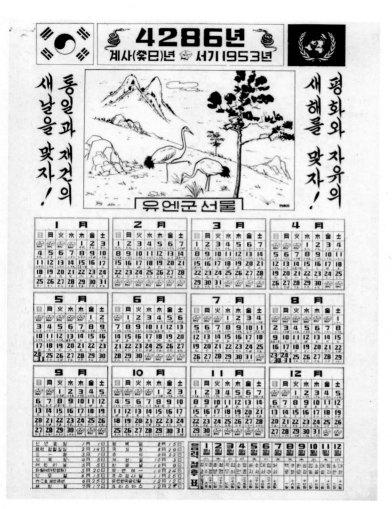

미8군사령부 심리전 부대가 제작해 1952년 연말에 남한 주민에게 뿌린 1953년도 음력 달력이다. 1952.12.8.

미8군사령부 심리전 부대가 북한인민군 병사를 타깃으로 제작해 뿌린 1953년 새해 축하 엽서다. 1952.12.19.

여러분! 공비 소탕에 다 같이 썩 씩하게 나갑시다.

"화랑정신으로 빨갱이를 소탕하자" 미8군사령부 심리전 부대가 한국군에게 디자인과 텍스트를 받아 제작한 삐라다. 경남 양산 지역 주민을 타깃으로 공비 소탕에 협조하라는 메시지를 담았다. 1952.12.9.

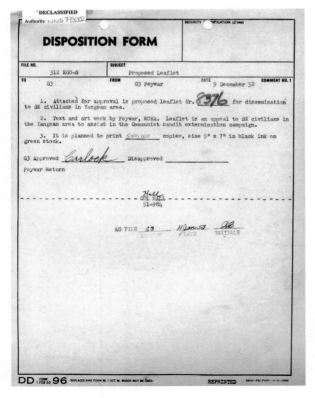

1952년 12월 9일 미8군사령부 심리전 부대가 작성한 '화랑정신' 삐라 제작 문서다. 무장공비 즉 빨치산 소탕 작전에 주민 협조 요청을 목적으로 삐라 50만 부를 제작 한다고 적혀있다.

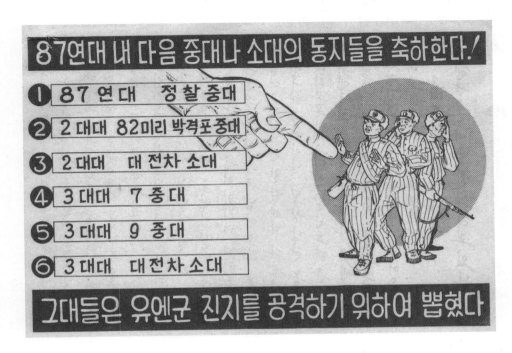

북한인민군 87연대가 선발한 돌격대가 유엔군이 있는 351고지를 공격한다는 정보에 따라 오히려 그들에게 귀순할 기회가 생겼다며 귀순 방법을 안내하는 삐라다. 87연대 병사를 타깃으로 연대 전체 사기 저하를 노렸다. 1952.12.13.

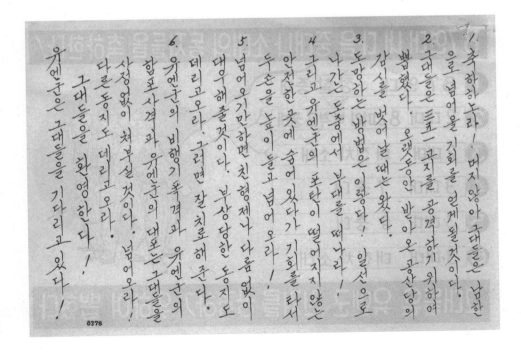

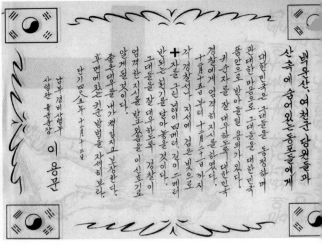

전남 여천군과 백운산 일대 빨치산과 죄익 인사를 타깃으로 제작한 귀순 유도 삐라다. 1952년 12월 15일부터 21일까지 자수 기간 동안 이 삐라를 들고 경찰 관서에 자수하라는 내용이다. 모두 50만 부를 제작했다. 1952.12.13.

DECLASSIFIED
Authority NND 775002

SECURITY CLASSIFICATION (If any)

DISPOSITION FORM

FILE NO.		SUBJECT	
312 KGO-S		Proposed Leaflet	
TO	FROM	DATE	COMMENT NO. 1
G3	G3 Psywar	13 December 52	

1. Attached for approval is proposed leaflet Nr. 8377 for dissemination to Dissident Elements in South Korea.

2. CG, Southern Security Command, is making a special effort to round up dissident elements during the period 15 Dec to 21 Dec 52. National Police boxes will fly a banner during this period signifying readiness to accept surrender. Leaflet is a message of instructions.

3. It is planned to print 500,000 copies, size 8" x 11" in black on white stock.

G3 Approved *Carlock* Disapproved _____

Psywar Return

- -

Hell
51-984

AG FILE G-3 16 Dec 52
SECTION   DATE   INITIALS

DD FORM 96
1 FEB 50   REPLACES NME FORM M. 1 OCT 48, WHICH MAY BE USED.   REPRINTED

1952년 12월 13일 미8군사령부 심리전 부대가 작성한 '자수 캠페인' 삐라 제작 문서다.

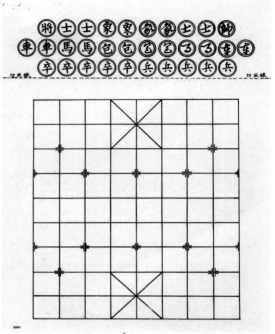

왼쪽 위: 1952년 연말, 미8군사령부 심리전 부대가 북한 인민군에게 뿌린 1953년 새해 특별 선물 키트 중 일부다. 1952.12.15.

오른쪽 위: 선물 키트에는 이런 장기판과 담배, 성냥, 문구 등이 들어있다.

왼쪽: 1952년 12월 15일 미8군사령부 심리전 부대가 작성한 유엔군 선물 키트 관련 보고서다.

미8군사령부 - 1953

북한인민군 45사단 병사를 타깃으로 뿌린 삐라다. 뒷면에 45사단 출신 귀순병의 편지와 사진을 실었다. 1953.1.6.

미8군사령부 심리전 부대가 북한인민군과 중국인민지원군 분열을 의도로 대량 제작해 뿌린 삐라다.
중국인민지원군은 비교적 안전한 서부전선에, 북한인민군은 미 해군 함포 사격권에 들어 매우 위험한 동부전선에 주로 배치되고,
이는 중국이 북한을 실질적으로 지배하기 때문이라고 선전한다. 1953.1.16.

SECURITY CLASSIFICATION (*If any*)

DISPOSITION FORM

FILE NO. 312 KGO-S	SUBJECT Proposed Leaflet		
TO G3	FROM G3 Psywar	DATE 16 Jan 1953	COMMENT NO. 1

1. Attached for approval is proposed leaflet Nr. 8394 for dissemination to NKPA 8th and 9th Divisions.

2. Another in a series of leaflets under "Plan Divide" designed to foster dissension between NKPA-CCF. Leaflet points out the CCF has occupied the easier western portion of the front and requires the NKPA to occupy the much more rugged terrain of the eastern front where it is also subjected to UN Naval gunfire.

3. It is planned to print 1,250,000 copies, size 5" x 11", in blue and black on white stock.

G3 Approved Carey 17 Jan   Disapproved _____

Psywar Return

- - - - - - - - - - - - - - - - - - Hall - - - - - - - - - - - - - -
COL HALL
51-984

AG FILE 63   12 Feb 53   initials

| | SECTION | DATE | INITIALS |

DD FORM 96   REPLACES NME FORM 96, 1 OCT 48, WHICH MAY BE USED.   REPRINTED   20010—FEC F&PC—11 51—2MM

1953년 1월 16일 미8군사령부 심리전 부대가 작성한 '분열' 삐라 제작 문서.
북한군과 중국군의 불화 조성을 위한 '분열 공작'하에 제작하는 삐라 시리즈라고 한다. 1,250,000장을 제작한다고 적혀있다.

인민군 7군단 동지들이여!

유엔군의 대포와 함포사격으로 막대한 사상자를 낸 1군단은 물러가고 여러분이 교대해 온 것을 우리는 다 알고있다.

김일성 도당은 쏘련 두목들을 만족시키기 위하여 여러분을 죽엄의 길로 몰아 넣고 있으니 우리는 여러분의 딱한 입장을 동정하는 바이다.

김일성 도당은 쏘련의 야욕을 채워주기 위하여 조국을 파괴하며 수많은 인민의 목숨을 희생시키고 있다.

인민군 7군단 동지들이여! 조심하라! 유엔군의 함포사격과 대포의 밥이 되지 않도록 몸을 피하라!

북한인민군 7군단 예하 3개 사단 병사를 타깃으로 뿌린 삐라다.
김일성은 소련 스탈린의 꼭두각시라는 선전으로 사기 저하를 노렸다. 1953.2.1.

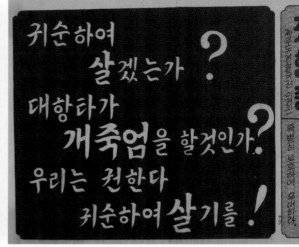

한국전쟁기 제주도에서는 인민유격대와 군경 토벌대 사이에 크고 작은 전투가 벌어졌다.
미8군사령부 심리전 부대는 제주도 경찰국장 이경진 명의로 인민유격대를 '산도적'이라고 지칭하고 유격대원들에게 사령관
김성규 등을 사살하라고 선동하는 내용의 삐라를 제작, 살포했다. 우측 하단에 있는 'CZ-9'는 미8군의 제주 삐라 일련번호다.
뒷면에는 제주경찰국장 이경진 명의 '귀향증'이 있다. 1953.

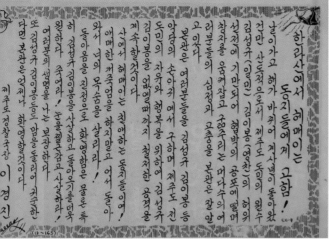

제주도 경찰국장 이경진 명의로 제주도민에게 살포한 삐라다. 한라산 '산도적', 즉 제주 인민유격대를 생포하거나 사살할
정보를 제공하면 많은 쌀을 주겠다는 내용이다. 신고 기간은 1953년 4월 1일부터 30일까지다. 1953.4.1.

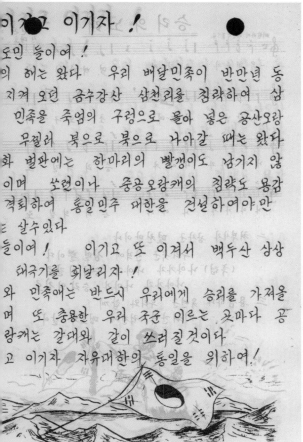

미8군사령부 심리전 부대가 제주도민을 타깃으로 뿌린 삐라다.
"무궁화 벌판에는 한 마리의 빨갱이도 남기지 않을 것"이라는 문구가 눈에 띈다. 1953.2.

뒷면에는 악보와 가사를 수록했다. 우측 하단에 미8군사령부 제주 삐라 일련번호가 CZ-7으로 기재돼있다.

공비에 끌려간 제주도민들이여!
공비의 꾀임과 위협에 속지말고
안심하고 돌아오라!

미8군사령부 심리전 부대가 제주 인민유격대와 협력 주민에게 뿌린 삐라다. 1953.3.1.

끌려간 옛 동지들에게

공비에 끌려간 제주도민 옛 동지들이여! 백성이 왕인 한나산 골짜기에서 금음날의 야마이 깊은 골을 헤고 약초와 양곡으로 근근히 목숨을 이어 나가는 동지들이여 그 모습을 연상할때마다 우리는 동정의 마음을 금할수가 없으며 오직 몸서리가 칠 뿐입니다.

옛 동지들! 우리도 공비에 끌려 되였었던피 동지들과 같은 환경속에서 인민들의 기만과 위협을 듣고 빨갱이하 판단하여 보았습니다. 그 모든것이 거짓말이며 구제 넘어 갈수없음을 깨달아 탈출하여서 자유대한의 아들 딸로 하루 바삐 돌아오늘 기회를 엇기를 지원하였습니다. 그리하여 우리는 그들의 감시을 피하여 탈출하여서 자유대한의 아들 딸로 하루 바삐 돌아오늘 기회를 엇기를 지원하였습니다. 그리하여 지금은 즉시 무사히 탈출하여 돌아온 빨갱이 아들과 최고까지 시험하 전쟁의 겁에 영어주라고 우리와 우리의 가족의 생명 재산을 안심하여 빨리 돌아오시오 다시 빛으로서부터 월 1일 하산하지 마시오

오봉손 김광명 박무주 양팔봉 강○○
김원옥 김판인 김 호 오승화 김양옥
오삼룡 김라일 강구수 한신정 김장옥 현병○
안○○ 김상추 김복순 김수자 김수송 김수자 김기열

미8군사령부 - 1954

한국전쟁은 1953년 7월 27일 정전협정 체결로 멈췄지만 주한 미8군사령부 심리전 부대는 심리전을 계속했다. 세력은 약화됐지만 지리산 일대에서 빨치산 활동이 이어졌다. 미군은 이들 빨치산과 지역 주민을 타깃으로 〈지리산특보〉 삐라를 정기적으로 만들어 배포했다. 〈지리산특보〉는 제호를 갖추고 호수를 매겨가며 신문 형식으로 제작했다. 빨치산 간부 체포나 투항 소식, 지역 주민을 상대로 한 빨치산 소탕 협조 요청을 주요 메시지로 실었다. 다음은 미8군 심리전 부대가 제작한 〈지리산특보〉 모음이다.

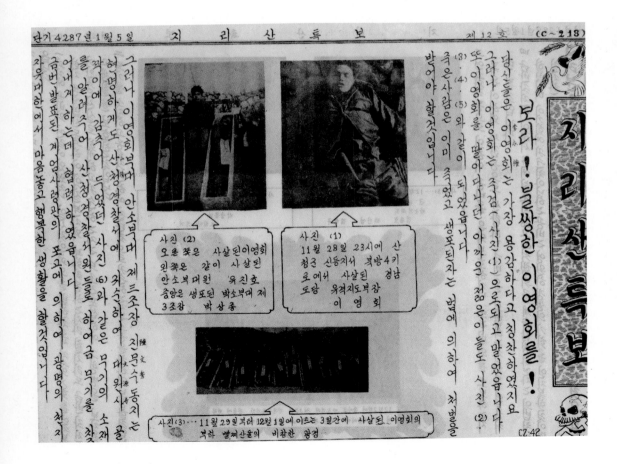

〈지리산특보〉 12호. 1954.1.5.

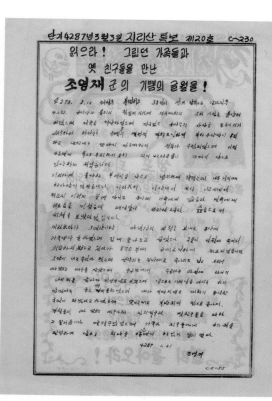

<지리산특보> 20호. 1954.3.3.

<지리산특보> 23호. 1954.3.23.

<지리산특보> 24호. 1953.3.25.

<지리산특보> 25호. 1954.4.1.

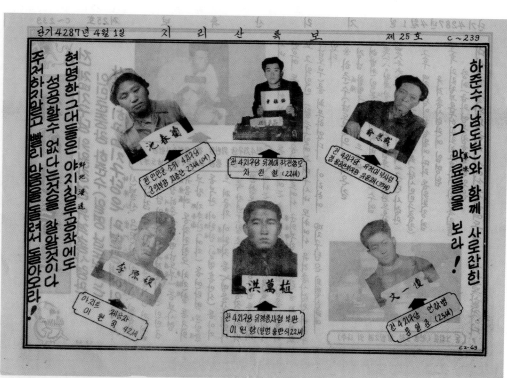

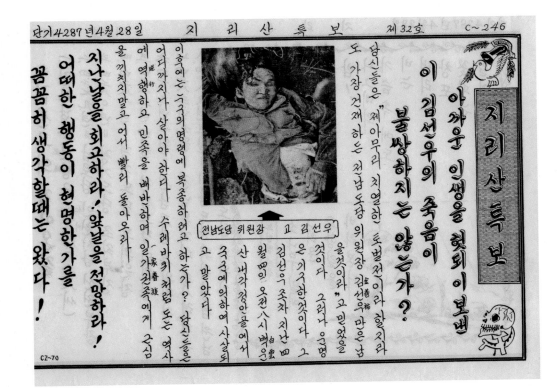

지리산특보

이 김선우의 죽음이 불쌍하지는 않는가?
아까운 이생을 헛되이 보낸

당신들은 "제아무리 저열한 토벌전이라 할지라
도 가장 건ㄹ래 하는 전남도당 위원장 김선우 마을남
을 것이라"고 믿었을 것이다. 그러나 우명을
은 기구한 것이다. 그
김선우 속작 지난 四
월四일 오전 八시 백운
산 배각 절앙골에서
죽엄에 의하여 사살되
고 말았다

전남도당 위원장　고 김선우

이승이는 ㅈㄱ의 명령에 복종하려고 하는가? 당신들은
어디까지나 살아야 한다
에역행하오 민족을 배반하며 일가권족에게 근심
을 끼치지말고 어서 빨리 돌아오라

지난날을 회고하라! 앞날을 전망하라!
어떠한 행동이 현명한가를
꼼꼼히 생각할때는 왔다!

CZ~70

<지리산특보> 32호. 1954.4.28.

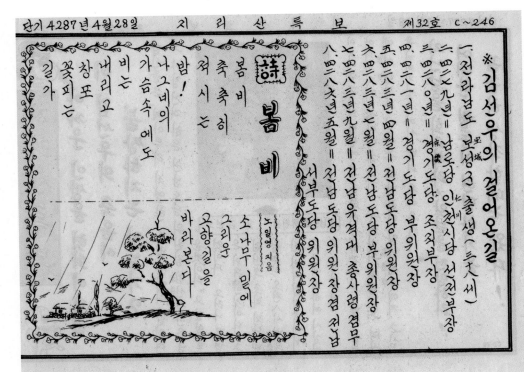

※ 김선우의 걸어온길

一. 전라남도 보성군 출생 (2×씨)
二. 4?9년 = 남로당 인천시당 부위원장
三. 4?80년 = 경기도당 조직부장
四. 4?81년 = 경기도당 부위원장
五. 4?8?3년 四월 = 전남도당 위원장
六. 4?8?3년 七월 = 전남도당 부위원장
七. 4?8?5년 九월 = 전남유격대 총사령 겸무
八. 4?8?6년 五월 = 전남도당 위원장 겸 전남
서부도당 위원장

봄비

봄비
축축히
적시는

밤!
나그네의
가슴속에도
비는
내리고
창포
꽃피는
길가

소나무 밑에
그리운
고향길을
바라본다

노일영 지음

04

한국군 - 1949

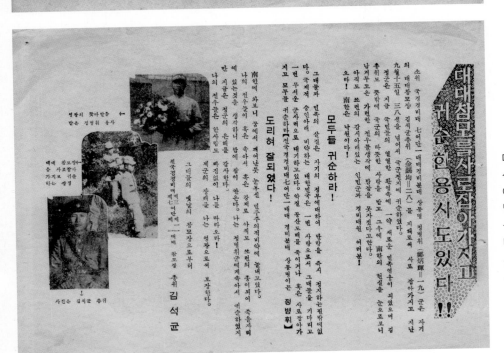

북한五도에도 즉시 유·엔결의에
의한 공정한 자유선거를 실시하고
국토를 통일합시다!

친애하는 북한동포여러분!
강도 쏘련과 그주구 김일성공산피뢰집단은 무엇때문에 유·엔총
회결의에 의한 선거를 실시하지않습니까?
그것은 우리北한五도를 영원히 쏘련식민지로서 공산독재굴 강
행해나갈려는 매국흉게입니다.

우리조국의 독립문제가 거족적 애국투쟁으로 一九四七년十一
월十四일 유·엔총회에서 결정되고 작년 五·十총선
거로서 대한민국독립정부를 수립하고 유·엔총회四十八개국의
국제적정식 승인을 전취하였읍니다.
그러나 우리조국 북반부는 지금 어떻한 상태에 놓여있읍니
까? 쏘련적색침략자들과 매국역적 김일성도배는 유·엔결의
를 방해하고 일방적인 공산독재 노예정
책을 강행하고 있읍니다.

친애하는 북한 형제자매여러분!
김일성배 반동분자들은 이제다시 적색괴수 쓰딸린지명밑에 매
국적인 소위「조국통일민주주의전선」을 조작하고 九월선거를
날조모략선전하며 가련한 자기의 말로를 단말마도더 연장해
볼려고 희후발악을 하고있읍니다.

여러분!
공산당이 선전하는 어하한 강제적 매국선거에도 참가하지맙
시다! 놈들이 추장하는 소위선거는 조국을 쏘련에 합법적
으로 판아먹기위한 간악한 흉게입니다.

친애하는 북한동포여러분!
김입성피뢰집단의 소위 九월선거음모를 분쇄하고 북한五도에
도 유·엔결의에 의한 자유선거를 즉시 실시하는것만이 조국
과 민족을 적색침략으로부터 구출하고 우리손으로 국토를 통
일할수있는 唯一한 길입니다.

북한 주민을 타깃으로 한 삐라다. 유엔 결의에 의한 자유선거를 실시해 국토를 통일하자는 내용이다. 1949.

모두들 귀순하라!
南한은 낙원이다!
오라! 南한은 쏘련의 감시아래있는 인민군과 경비대원 여러분!

도리혀 잘되었다!

그대들의 옛날의 참모장으로부터
전국경경비대제二여단[一]대대 참모정 총위 김 석 균

사진은 김석균 총위

대대참모장 김석균을 사로잡아서 3.8선 이남으로 귀순한 북한 국경경비대 병사 정병휘의 활약을 사진과 함께 소개한 삐라. 1949.

234

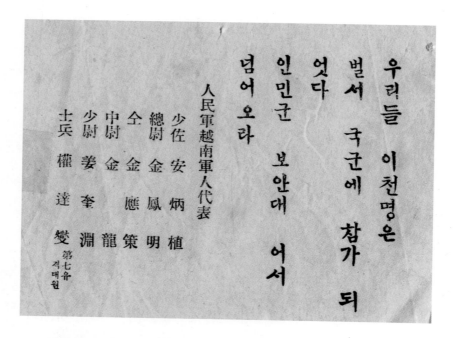

한국군이 제작해 뿌린 '인민군 월남 대표' 6인 명의의 인민군 귀순 권유 삐라. 1949.

귀순한 해주정치보위부장 이창욱의 사진과 귀순 권유 메시지를 담은 삐라. 1949.

인민군 38경비대 병사에게 뿌린 투항 안내 삐라. '이승만 박사 만세'라고 크게 외치고 투항하면 귀순으로 인정한다는 내용이다.

"공산당은 사기강도단이다! 속지말고 넘어오라!" 북한인민군을 상대로 귀순 방법을 소개한 삐라다.

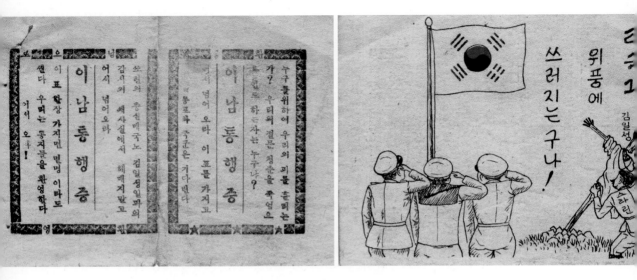

한국군이 3.8선 접경 지역 북한인민군에게 뿌린 '이남통행증'. 남쪽으로 넘어올 수 있다는 의미다. 전쟁발발 이후 나온 '안전보장증명서', '귀순증' 형식 삐라의 원조격이라고 할 수 있다. 1949.
뒷면에는 김일성을 소련 스탈린의 허수아비로 묘사한 이미지를 담았다.

같은 해 한국군이 제작해 뿌린 또 다른 삐라에선 쓰러진 자신의 '허수아비' 김일성을 황급히 끌고 달아나는 스탈린을 그렸다. 북한 주민을 타깃으로 소련과 그 하수인인 김일성에게 저항하라는 선전 삐라다. 1949.

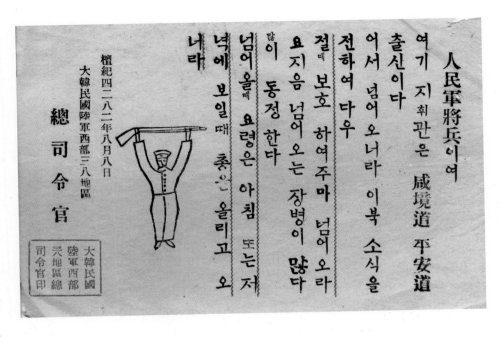

함경도, 평안도 출신 서부38지구 총사령관 명의로 북한인민군 보안대장병에게 보내는 귀순 권고문.
총을 머리 위로 올리고 넘어오라고 귀순 방법을 안내한다. 1949.8.8.

"공산당을 죽이고 대한민국의 품으로 오라!!", "넘어 오는 방법"을 담은 귀순 권고문 형식 삐라다. 1949.

山中에서 애매하게 고생하는
가엾은 同志에게 나는 眞心으로
일러주노라 !

親愛하고 사랑하는 同志들이어 ! 그동안도 健康이나하시은지요 나는 當身들과같이 以北
에서 넘어와 함께따라 다니든 사람으로서 지금은
國軍의 따듯한 愛護속에서 깨끗이 갈길을 잡고
光明의 未來를 엿볼수있는 處地에서 지수도 過去에 나와같이허매는 當身덜을 爲하여 하루
라도 속히 目的없는 노여生活속에서 覺醒하고 安心하고
우리의 國軍의 至大한 愛護속으로 도라오기를 일러주노라
친 愛 하 는 여 러 분 이 여 !

洋洋한大海를 航海하는 기선에도 到着하여야할 항구가있고 가야만할 方向과 그길이있는것
입니다 어두운속에서 헤매이는 二대 털이어
하루바삐 잠을깨여라 ! 當身에는 아직도 그 악독한 놈덜의 虛인힝모略에속아 허울좋은소
모品이 되여있다는 事實을 잘 알어라 그대덜은 지금도 누구를위하여 누구를 죽이기위
하여 손에 총칼을 쥐고서 누구를위해서 잡혼백를 주려가며 집을못자고 夜晝를 다만 의
로운 육선을 기동하여 山中을헤매고있는가
尊 경 하 는 同 志 여 러 분 아 !

아즉도 當身덜의 父母 兄弟는 毎日같이 당신덜이 도라오기를 기다리고 있다던 것을 왜 生
覺치 못하넌가 當신덜에게난 父母 兄弟도 그리고 妻子도 必要치않고 그립지 않다
넌 理由가 어데있겠소 當身은바루 當신덜이가전 그 銃과 칼이 당신내의 그리운
父母 兄弟를 죽이려고 준 銃칼이라넌것을 잘알어라 親愛터넌 여러분이여 지수부터
四年前 그 거나긴 三六年間 물너간 日帝의 굴다란 鐵鎖줄에 억매여 잉키고 저리엤든 그 지
부한 歲月을 다시한번 想起하여보아라 解放된우리 祖國을 또다시 以北 以南으로 半하
고 祖國을 쏘聯에 팔아먹으려고 그의第七聯방으로 指定하여넣고 그의調節下에서 온갖 手
段을 다하여 同族을殺害하고 온갖만行을다하여 파괴工作을하고잇던 그者의 正體를 그대
도 애매하게 고생하는 가여운 同志여 조용히 가슴에 손을대고 그의過去와現在를 良心的으
로 反省하여보라 當身덜이 그 모略속에서 그者덜의 消모品으로 헤매고잇지않는가
하루속히 잠을깨고 돌아오시요 當身앞에는 우리의眞정한國軍이 언제나 當身내의 오
기를 기다리고잇읍니다 父母 兄弟 當신의 前途가 洋洋하지않는가
지금은 國軍의 溫情과 愛護아래서 소生할수잇는 光明의 길을기다리고잇다
親愛하는同지여 하루속히 下山하여 國軍 愛護下에 다같이 손베손을잡고 우리 와
父母가게신 大韓民國에서 祖國의統一과 國土防衛를爲하여 다같이 步調를 마추어 루쟁할 것
을 기다리고 기다린다 때는 아즉 늦지않엇니 속히잠을개여라

檀紀四二八二年六月二五日

五台山에서 귀순한 人民軍
洪性俊 黃두원 告하노라

귀순한 인민군이 쓴 편지 형식의 귀순 권고 삐라다. 1949.6.25.

북한 농민을 대상으로 뿌린 삐라. 김일성을 소련의 괴뢰, 괴물로 묘사하고 반공구국전선에 나서라고 선동하는 내용이다. 1949.

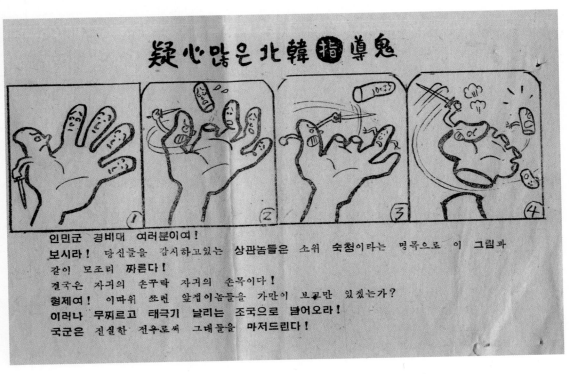

인민군 경비대 간부와 병사 간 분열을 조장하는 삐라다. 1949.

노동자와 농민을 탄압하는 소련 스탈린의 이미지를 형상화해 공산주의를 향한 적개심을 조장하는 삐라다. 1949.

'김일성 타도가' 가사를 담은 귀순 권고 삐라. 1949.

共產軍將兵에게告함!

將兵 여러분!

倭政三十六年의 쓰라림을 벌써이젔는가?

왜또다시 奴隸生活을 할려고하는가?

쏘聯의 走狗됨이 부끄럽지않는가?

여러분의 가슴속에 波動치는 倍達民族의 피소리를 드러보라 여러분이나 우리나 다같은 大韓의 아들이며 재國家建設의 重責은 우리靑年의 双肩에 달려있다 이 歷史的課業을 達成할려는 國軍과 손을맛잡자!

여러분의 祖國愛와 民族愛를 울바르게 發揮하자! 北韓暗黑속에서 헤매이지말고 우리품안으로 드러오라 언제던지 여러분을 마저드릴 用意와 雅量이 있으니─

人民共和國打倒萬歲!!
大韓民國萬歲!!

대한민국국군

조국대한의 피줄기를 같이하는 북한 인민군 형제 여러분

전인민동의 쓰라린준비 절박에까지 강제와 탄압과 협박의 여사슬에 얽메여 한수없이 끌려다니는 인민군 여러분!! 조국 대한 三千里 강토통일의 날은 멀지않은 인민군 여러분은 자랑에 단처왔다 우리는 영원 일하

북한의 어머니 아버지 그리고 형제를 또 대한의 아들인 인민군 여러분을 구출함때가왔다!!

강하고 완전한 국군의 대표와 비행기와 유력한 무기는 인민군 장교와 사병이 적이 아니고 오로지

검인성 一당의 매국적 괴뢰정권을 모격하고 무젼히 버틸툰이다 악질 매국노 우리의 적이오

선량한 인민군은 우리의 형제인 까닭에 매양지는 자에게는 용서없이 천수를 갈겨

정이나 우리의 형제는 언제든지 무수울들이 환영할것이다 선량한 인민군여러분!!

때물보고 우리의 풍속에 드러오는 형제는 꼭 따뜻하게 보호하고 사랑할것을 약

속한다!! 그리고 우리끼리 동포애로써 진정이 모든것을 여러분은 푸미시다 북한인민군 여러분!

때는왔다 형제의 품안으로 들어올날이!

대한민국 三八선

정치공작대

왼쪽: "인민공화국 타도 만세", "대한민국 만세" 대한민국 국군 명의로 공산군 장병에게 고하는 귀순 권고문 형식의 삐라. 1949.

오른쪽: 대한민국 38선 정치공작대가 북한인민군에게 보내는 귀순 권고 형식의 삐라. 1949.

유엔 20여 개국이 대한민국을 승인했다며 이를 기뻐하라는 내용의 삐라다. 1949.

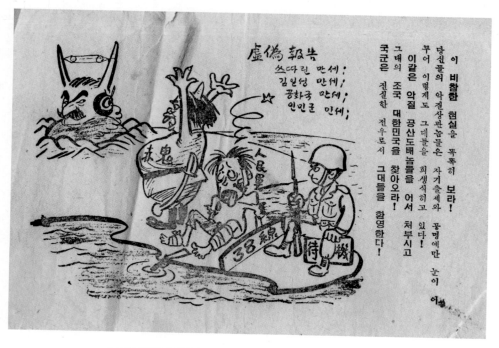

소련을 향한 적개심과 북한 내부 분열을 조장하는 삐라다. 1949.

대한민국 정부 수립 1주년 기념식 사진을 활용한 삐라다. 1949.8.

한국군 - 1951

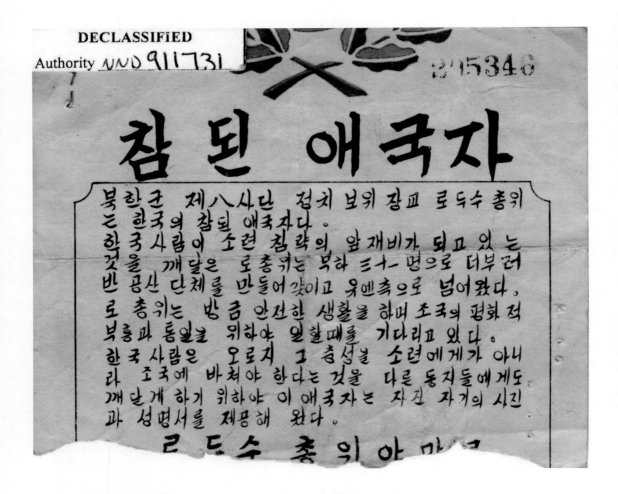

남쪽으로 귀순한 북한인민군 제8사단 정치 보위 장교 로두수 총위를 '참된 애국자'라고 칭하고
북한인민군 내부 분열과 귀순을 유도하는 삐라다. 1951.

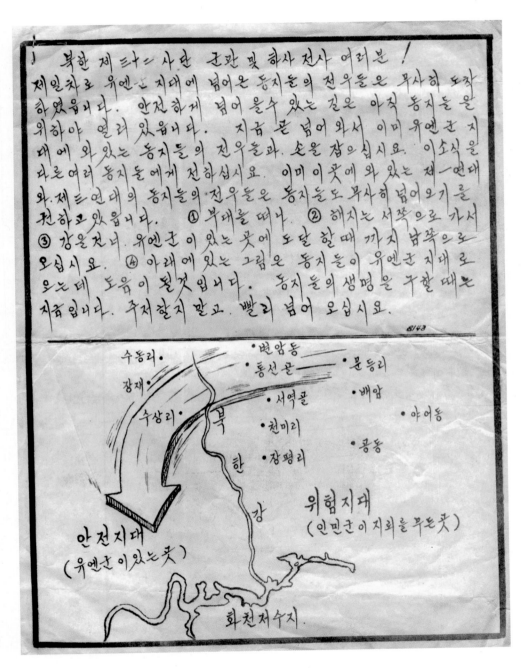

북한인민군 제32사단 군관 및 하사, 전사를 대상으로 한 삐라. 투항 경로를 안내한다. 1951.

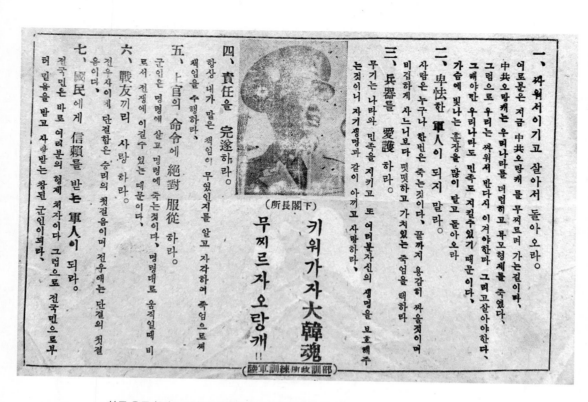

한국 육군훈련소 정훈부가 제작해 전선으로 나가는 병사에게 배포한 삐라다. 1951.5.

한국군 - 1952

국군이 남한 주민을 대상으로 뿌린 어린이날 기념 삐라. 1952.5.

육군본부가 1952년 노동절을 맞아 뿌린 삐라. 1952.5.

육군본부가 한국전쟁 2주년을 맞아 제작한 삐라. 1952.6.

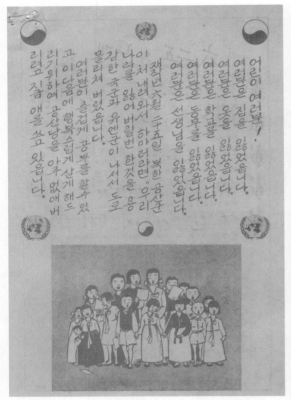

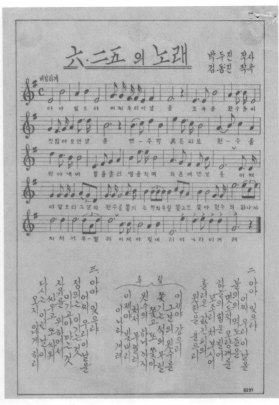

한국전쟁 2주년을 맞아 어린이에게 반공의식을 고취시키기 위해 만든 삐라다. 1952.6.5.

오른쪽 페이지: 육군본부가 1952년 광복절을 맞아 제작한 반공 선전물. 1952.8.

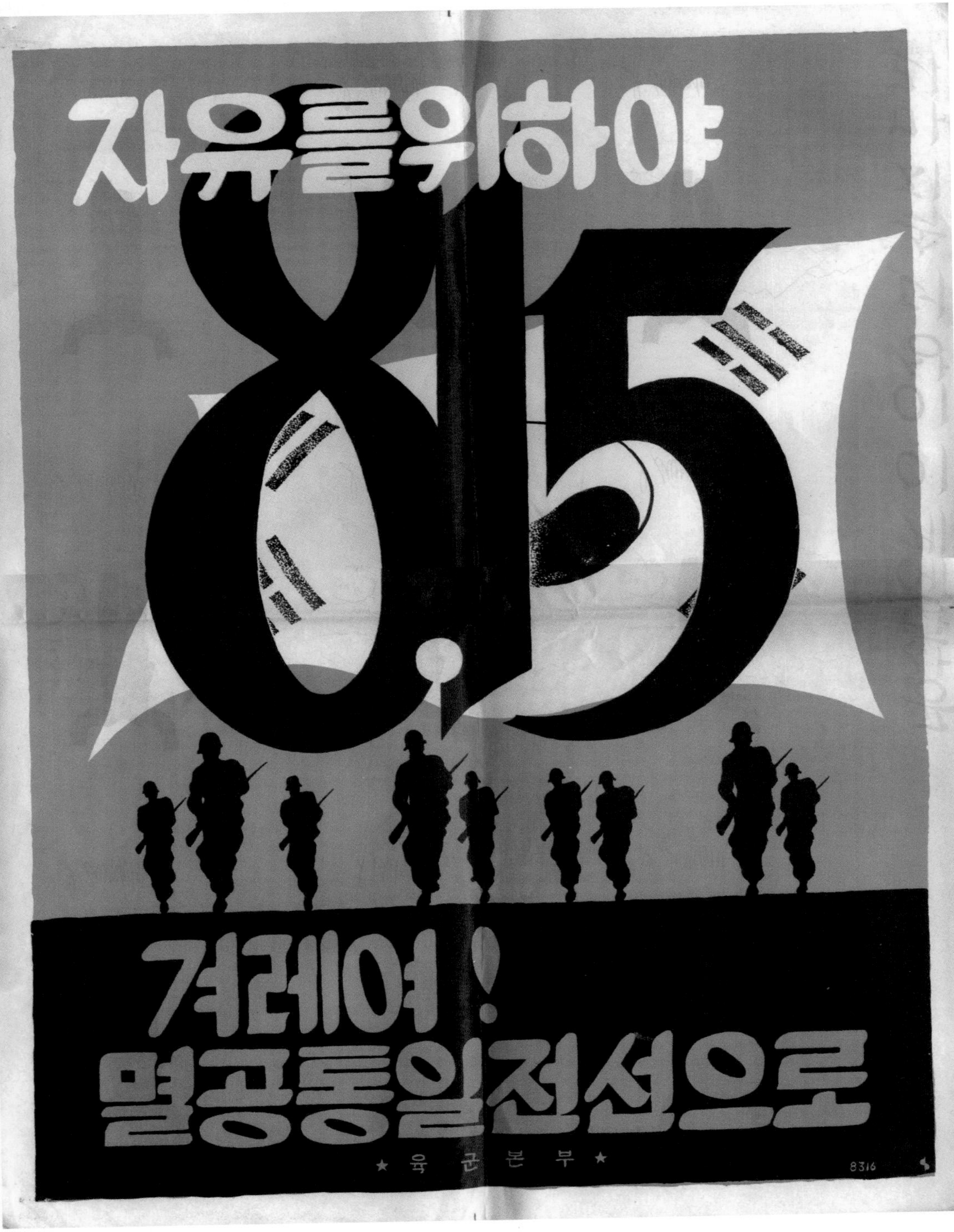

자유를위하야
8.15
겨레여!
멸공통일전선으로
★ 육 군 본 부 ★
8316

05

북한인민군과 중국인민지원군

1949년 38선 분쟁 시작 후부터 한국전쟁 정전 때까지 이른바 공산군 측, 즉 북한인민군 사령부와 중국 인민지원군 사령부에서 제작한 심리전 삐라를 살펴보면 친일파와 이승만 및 남한 정권 비판, 미 제국주의 비판 등의 메시지를 담은 선전물이 주종을 이룬다.

국군 수뇌부가 상당수 일본군 장교 출신임을 지적해 군 내부 분열을 겨냥한 삐라가 대표적이다. 또 이승만 대통령이 미 제국주의 앞잡이이고, 국군은 미 제국주의 꼭두각시 군대(괴뢰군)라고 주장하며 국군 사기 저하를 유도하는 유형의 삐라도 많다. 2부에서 상세하게 다룬 것처럼 미군 심리전 부대도 북한인민군을 소련 제국주의 꼭두각시 군대(괴뢰군)라고 집중 선전했다. 이런 측면에서 보면 한국전쟁은 남과 북, 두 괴뢰군이 벌인 '꼭두각시 전쟁'인 셈이다.

북한인민군과 중국인민지원군은 남한 지배층의 부패상 비판, 주요 명절을 앞두고 향수를 자극하는 감성 메시지, 투항 및 귀순 권유 등도 삐라에 담아 지속해서 뿌렸다. 유엔군 측 삐리와 형식과 내용이 거의 비슷하다. 이런 유사성은 양측 모두 남북한 역사성과 정체성에 기반한 삐라 심리전을 전개한 데서 기인했다.

북한인민군·중국인민지원군 - 1950

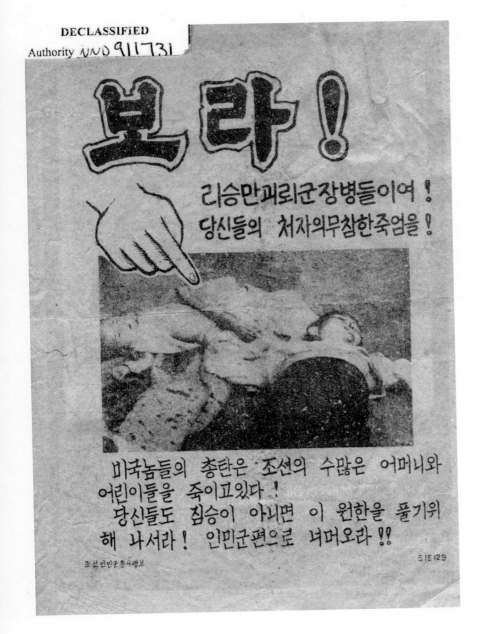

북한인민군이 국군을 타깃으로 미군의 민간인 학살을 선전하기 위해 제작한 삐라다. 미군이 북한 여성과 아이들을 학살하고 있다며 국군과 미군의 분열을 유도하고, 국군 귀순을 권유하는 내용이다. 1950.

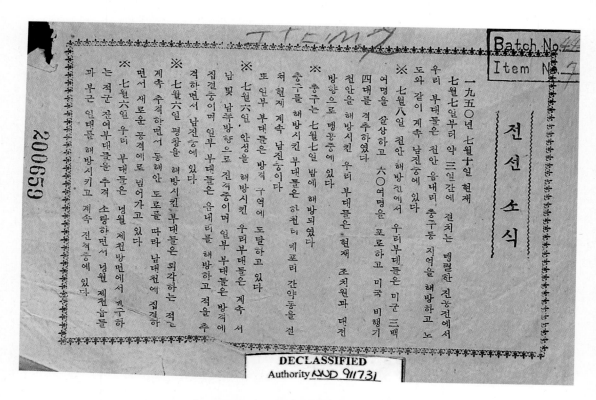

전선 소식

一九五〇년 七월十일 현재

七월七일부터 약 三일간에 걸치는 맹렬한 진공전에서 우리 부대들은 천안 음내리 충주등 지역을 해방하고 노도와 같이 계속 남진중에 있다

※ 七월八일 천안 해방전에서 우리부대들은 미군 三백여명을 살상하고 六〇여명을 포로하고 미국 비행기 四대를 격추하였다
천안을 해방시킨 우리 부대들은 현재 조치원과 대전 방향으로 맹공중에 있다

※ 충주는 七월七일 밤에 해방되였다
충주를 해방시킨 부대들은 한천리 매포리 간약동을 전처 현재 계속 남진중이다
또 일부 부대들은 방적 구역에 도달하고 있다

※ 七월六일, 안성을 해방시킨 우리부대들은 계속 서남 및 남쪽방향으로 진격중이며 일부 부대들은 음내리를 해방하고 적을 추격하면서 남진중에 있다

※ 七월六일 평창을 해방시킨 부대들은 퇴각하는 적을 계속 추격하면서 동해안 도로를 따라 남대천에 집결하면서 새로운 공격으로 넘어가고 있다

※ 七월六일 우리 부대들은 녕월 제천방면에서 퇴구하는 적군 잔여부대들을 추격 소탕하면서 녕월 제천 납들과 부근 일대를 해방시키고 계속 전격중에 있다

'전선 소식'이라는 제목으로 전황을 소개하는 삐라다.
북한인민군이 한국전쟁 시작 후 15일 만인 1950년 7월 10일 현재 남쪽으로 계속 진격해
천안, 충주, 제천, 평창 등지를 해방시켰다는 내용을 담았다. 1950.7.

> Officers and men of the U. S. Army!
>
> Why are you going to die a meaningless death on an alien soil, tens of thousand miles away from your country?
>
> Your dear people at home are spending miserable days, worrying about your fate.
>
> Why are you going to sacrifice your youthful life for an unjust cause, leaving your dear people behind you?
>
> Lay down your arms immediately and surrender!
>
> The Korean People's Army treats Pows well. The only way for you to get home soon is to surrender.
>
> Lose no time and come over to us!
>
> General Political Bureau
> of the Korean People's Army

북한인민군이 총정치국 명의로 미군에게 "왜 이국 땅에서 쓸모 없는 죽임을 당하려 하는가, 고국으로 빨리 돌아가는 길은 투항밖에 없다"라는 내용으로 귀순을 권유하는 삐라다. 1950.7.

> 미군장령들이여!
>
> 무엇때문에 그대들은 수만리 떠러진 이국땅에서 가치 없는 죽엄을 당하려 하는가?
>
> 그리운 고국에서는 사랑하는 부모 처자들이 그대들의 운명을 근심하여 눈물로 세월을 보내고있다.
>
> 사랑하는 사람들을 남겨놓고 어찌 젊은 청춘을 무정의의 침략전쟁에서 어려버려야 한단 말인가?
>
> 하로속히 무기를 놓고 손을 들라!
>
> 조선인민군은 포로를 우대한다 그대의 고국으로 하로속히 도라가는길은 오직 투항하는 길뿐이다
>
> 주저말고 한시바삐 투항하라!
>
> 조선인민군 총정치국

귀순 권유 한글 버전 삐라다.

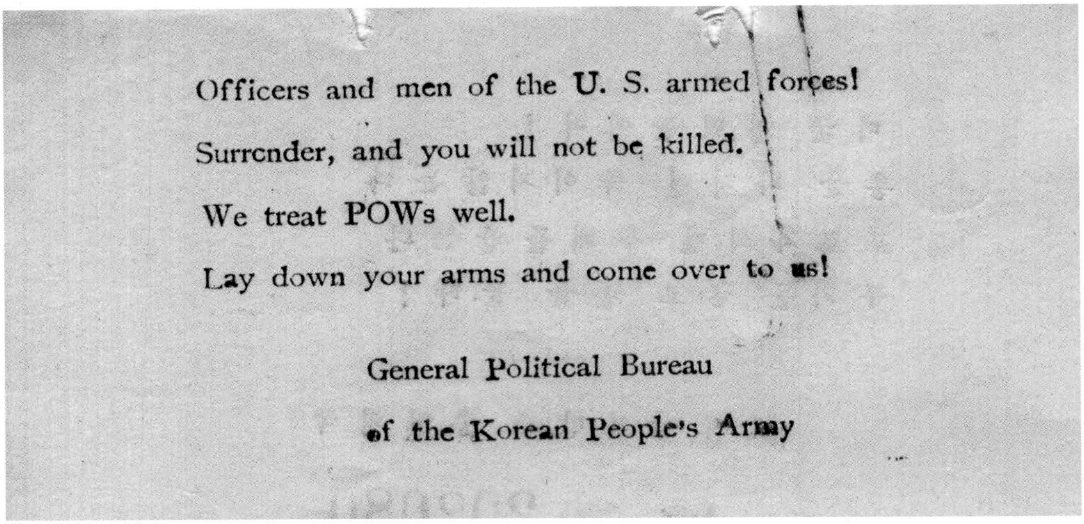

Officers and men of the U. S. armed forces!

Surrender, and you will not be killed.

We treat POWs well.

Lay down your arms and come over to us!

General Political Bureau

of the Korean People's Army

북한인민군 총정치국이 미군을 타깃으로 뿌린 투항 권유 삐라. (일자 미상)

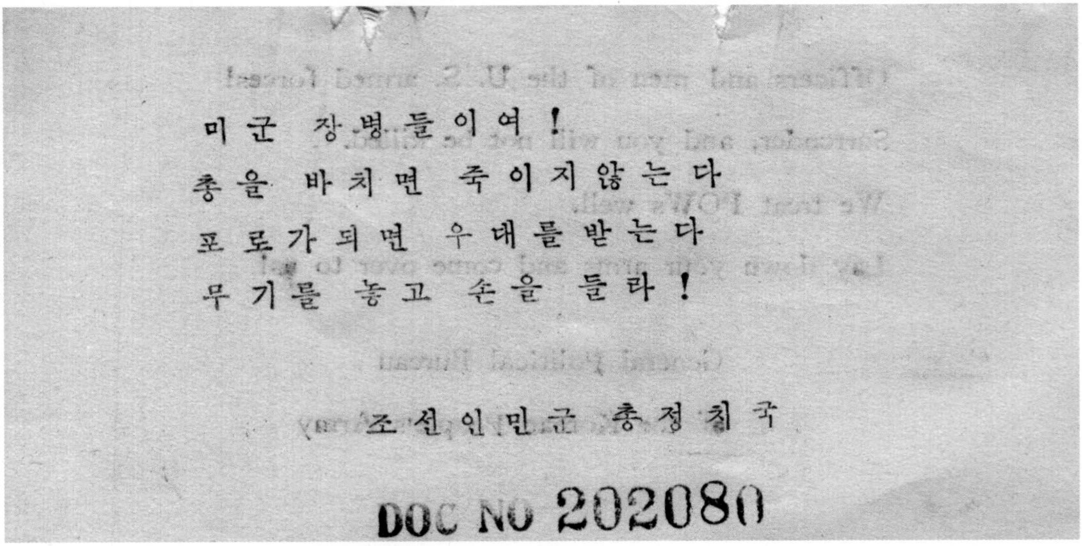

미군 장병들이여!
총을 바치면 죽이지않는다
포로가 되면 우대를 받는다
무기를 놓고 손을 들라!

조선인민군 총정치국

DOC NO 202080

투항 권유 한국어 버전 삐라.

二、괴뢰군 장병들이여! 당신들의 사는 길은 총을 바치고 투항하는 길이외에는없다 한시바삐 무기를 놓고 인민군편으로 넘어오라!

六、괴뢰군 장병들이여! 리승만역도들에제 총뿌리를 돌리고 인민군에게 의거하여 도라오는 자는 고향에도 도라갈수 있으며 학교에도 갈수있다 죽엄을 면하고 구원을 받을려거든 한시바삐 의거하여 인민군에게 넘어오라!

북한인민군이 국군을 타깃으로 한 투항 권유 삐라다. 국군을 '괴뢰군(꼭두각시 군대)'으로 지칭한다. 한국전쟁 당시 유엔군과 한국군은 북한인민군을 소련의 괴뢰군이라 불렀고, 북한인민군은 국군을 미국의 괴뢰군이라고 불렀다. 1950.

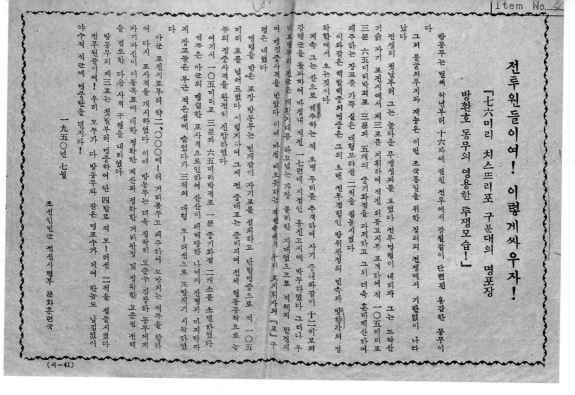

위: 북한인민군이 전투 의지 고양과 내부 결속을 위해 만든 선전물. 한 포병의 탁월한 전투 능력을 칭찬하는 내용이다. 1950.7.

아래: 1950년 8월 안에 남한을 완전히 점령하자는 내용이다. 1950.8.

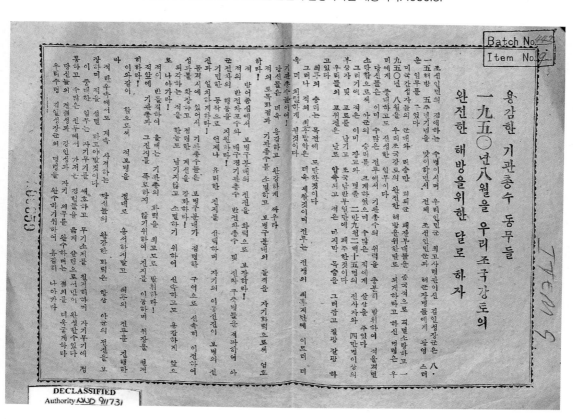

이지도를보고 각성하라!
패주잔존한 리승만과괴군 장병여러분!

당신들은 이지도가 무엇을 표시하고있는지아는가 이지도는 여하한 침략세력
이라도 능히 물리치고 자기조국의 민주주의적 통일독립을 위한 정의의 조국전
쟁에 궐기한 조선인민과 그의강력한 무장력인 조선인민군은 반드시 단시일내
에 승리한다는것을 똑똑히 말하여준다

또한 이지도는 동족상쟁의 내란을도발하여놓고 도망한 리승만매국노들과 소
위 『국회』『정부』『총참모부』를 다잃어버리고 강도략탈군대 미군의 지휘하에
서 놈들의침략도구로 이리저리 끌려다니는 『국군』 당신들과 조선을 자기의식
민지로 예속시키려고 비법적으로 조선에와서 당신들을 속여가며 개죽엄판으로
내모는 미국침략군대들은 전쟁이 시작된후 아직까지 계속패망의길을 밟아왔으
며 완전히 패망할날은 오직 시간적문제라는것을 명백히 말하여준다 이지도를
보고 다시한번 생각하여보라 당신들은 어데로가겠는가 공중으로날겠는가 그렇지
않으면 바다 수궁을 찾겠는가 아무데서도 당신들을 환영하는곳은없다 다만 차
디찬 죽엄의무덤만이 당신들을 기다릴뿐이다 그러나 단한길 당신들의살길이있
다 리승만괴군 장병여러분! 그길은 미국강도군대에게 총뿌리를돌리고 용감
하게 인민군편으로 넘어오는길이다 이제마도 늦지않다 그러나 오래생각할 시
간적여유는 없다 당신들을 못넘어오게하며 끝끝내 대포밥으로만들려는 악질상
관놈을 모주리쏘아죽이고 속히 넘어오라 인민군은 용감히 넘어오는 당신들을
특별히 우대하며 당신들의 희망을 만족시켜준다

해방된주요도시들 8월6일현재

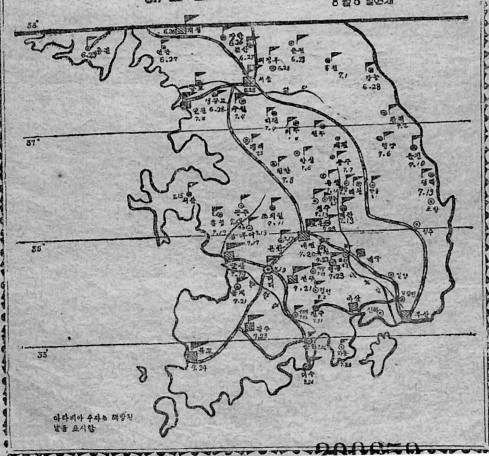

북한인민군이 한국군을 상대로 뿌린 삐라다. 1950년 8월 6일 현재 인민군이 점령한 남한 도시를 표시했다. 점령 도시엔 깃발을 꽂고 점령 날짜도 기재했다. 도망한 이승만 정부를 비난하고, 국군 병사의 귀순을 권유하는 텍스트를 담았다. 1950.8.

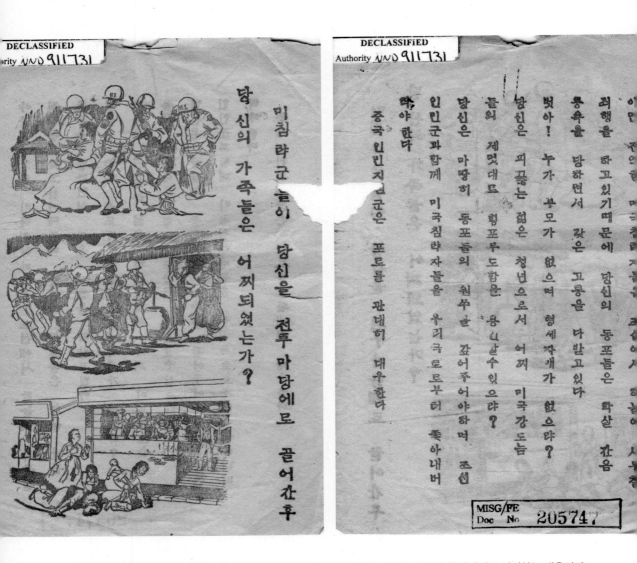

중국인민지원군이 국군을 상대로 뿌린 삐라. 남한 주민을 학살, 간음, 능욕하는 미군을 쫓아내자고 선전하는 내용이다.
1950.10.

북한인민군·중국인민지원군 - 1951

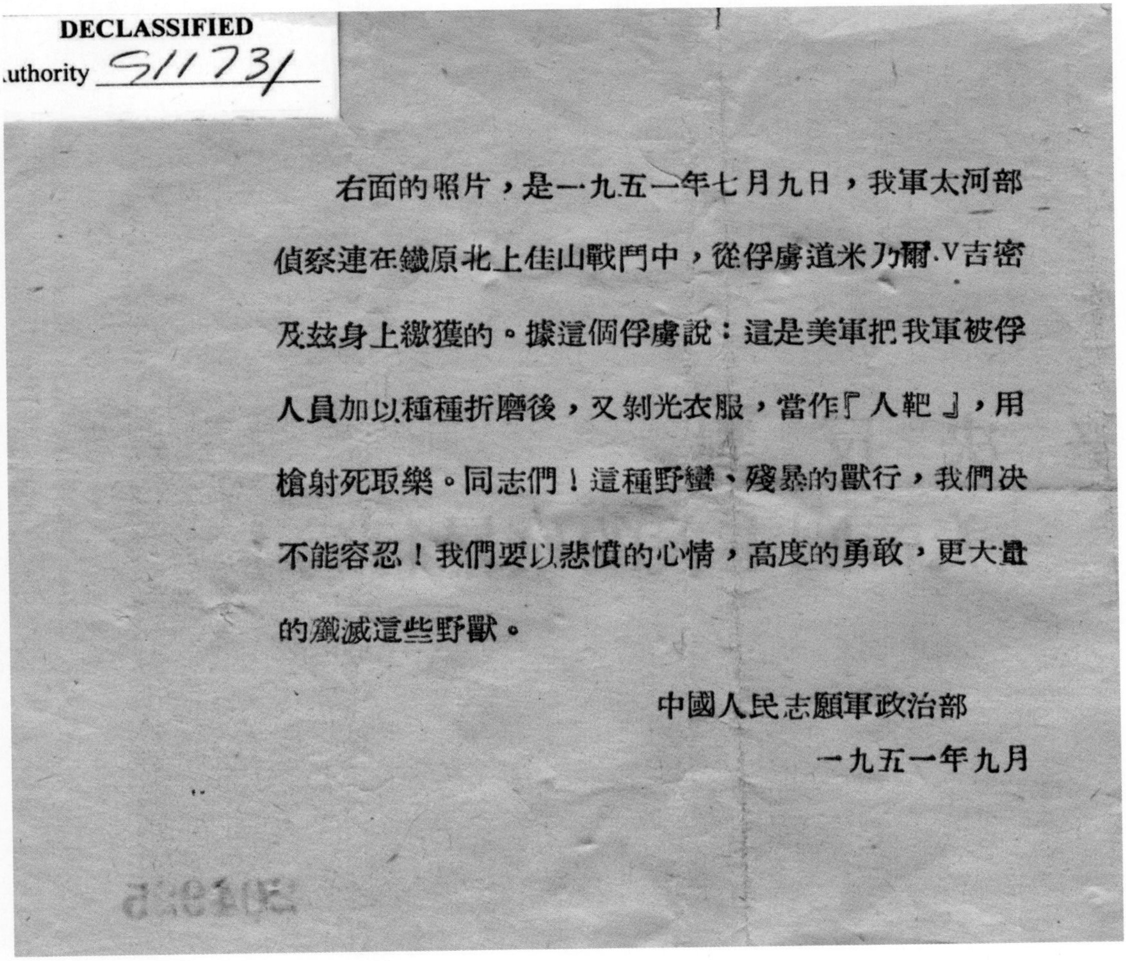

右面的照片，是一九五一年七月九日，我軍太河部
偵察連在鐵原北上佳山戰鬥中，從俘虜道米乃爾·Ｖ吉密
及茲身上繳獲的。據這個俘虜說：這是美軍把我軍被俘
人員加以種種折磨後，又剝光衣服，當作『人靶』，用
槍射死取樂。同志們！這種野蠻·殘暴的獸行，我們決
不能容忍！我們要以悲憤的心情，高度的勇敢，更大量
的殲滅這些野獸。

中國人民志願軍政治部

一九五一年九月

중국인민지원군 정치부가 미군의 포로 학대를 비난하는 삐라다. 1951년 7월 9일, 정찰연대가 철원에서 전투 중 미군으로부터 노획한 사진을 함께 수록했다. 미군이 중국군 포로를 갖은 고문을 한 뒤 옷을 벗기고 '인간 표적'으로 삼아 총을 쏘며 즐겼다는 주장을 담았다. 1951.9.

중국인민지원군이 미군 포로에게서 노획했다고 주장하는 미군의 중국군 포로 학대 사진.

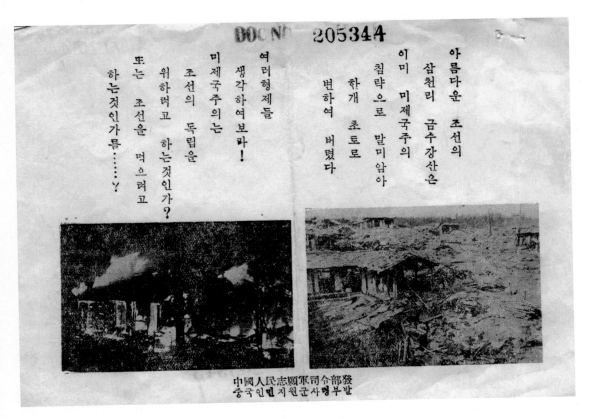

중국인민지원군사령부가 제작한 미 제국주의 비판 삐라다. 미국의 침략으로 한국이 초토화됐다고 주장한다. 1951.

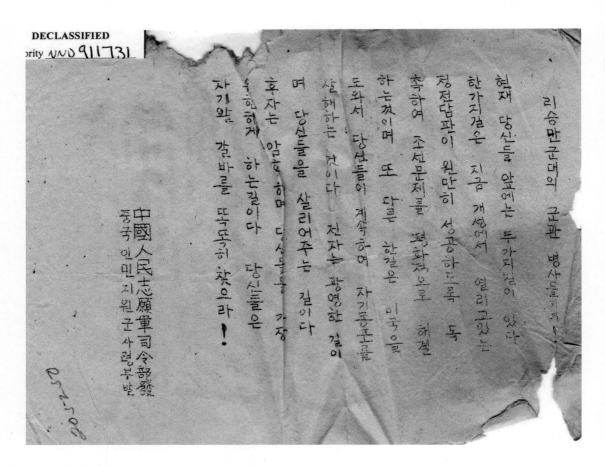

중국인민지원군사령부가 국군을 타깃으로 뿌린 삐라다. 개성에서 열리는 정전회담이 성공하도록 독촉하는 길이나 미국을 도와서 동포를 계속 살해하는 길 중에서 하나를 선택하라는 내용이다. 1951.

중국인민지원군은

포로를 관대하며

죽이지않고

개인물건을 가지지않으며

인격을 모욕하지않고

부상당한자는

치료하여준다

中國人民志願軍司令部發
중국인민지원군사령부발

중국인민지원군사령부가 살포한 삐라. 포로를 관대하게 대우한다는 내용이다. 1951.

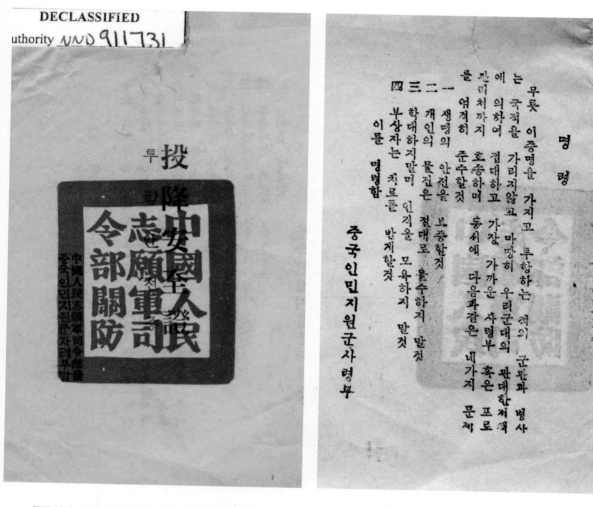

중국인민지원군이 국군을 상대로 뿌린 '투항안전증' 삐라다. 유엔군이 살포한 '안전보장증명서'와 유사한 심리전 삐라다. 1951.
뒷면에 4가지 포로 대우 사항이 적혀있다.

국방군(국군) 1사단 병사들에게 북한인민군과 중국인민지원군이 공동명의로 뿌린 삐라.
포로가 된 1사단 병사 이름을 열거하고, 이들이 잘 지내고 있다고 선전하는 내용이다. 1951.

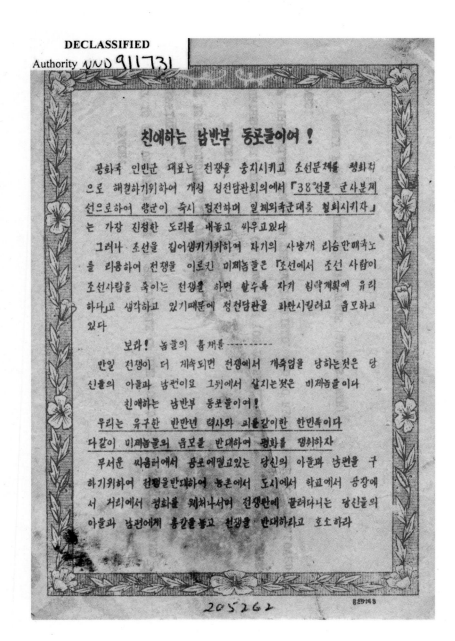

북한인민군이 남한 주민을 상대로 전쟁 반대 운동에 나서라고 촉구하는 삐라다.
같은 피를 나눈 한민족이라는 표현은 유엔군 측 삐라에서도 흔히 볼 수 있다. 1951.

PEACE!

IT IS THE UNANIMOUS CRY OF THE PEOPLE OF THE WORLD WHO LOVE FREEDOM AND HAPPINESS.

IT IS RESOUNDING ALL OVER THE GLOBE.

PEACE!

FURTHERMORE, IT IS THE ONLY WAY FOR YOU TO SAVE YOUR LIFE FROM THE DANGER OF PURPOSELESS DEATH ON THE BATTLEFIELD AND TO RETURN HOME TO YOUR LOVED ONES.

SAILY FORTH IN DEFENCE OF PEACE AGAINST WAR!

뒷면에는 평화를 강조하는 영문 텍스트를 실었다.

조선의 보물과 귀중품의 략탈자는 누구냐?

「국방군」 장병들이여!

당신들은 미국강도들이 조선에서 아름다운 우리의 민족문화를 파괴하고 오랫동안 귀중하게 보관해왔던 보물들을 모조리 훔쳐가고 있는 사실들을 알고있는가?

서울 창덕궁에 보관되여있던 리조왕실의 보물의 하나인 유명한 호피모단-四十八장의 표범의 생피로만든 모단이 어느새 미국 「콜라-드」 주 「풀레볼로」 시 식료잡화상 관리자인 「힐트네로」 란자의 집에 가있으며 그곳에서 현재 시가 10만딸라의 호가를 받고있다

이모단은 미군제八군단 소속 하사 전기 식료잡화상 관리자의 자식놈인 「앨버른·힐트네로」 란놈이 「조선전쟁의 선물」 이라고 저의 애비놈에게 항공우편으로 보낸것이다

미국의 강도놈들은 평양박물관의 진렬품을 비롯하여 강점당시 영명사의 금불상 략탈 고구려등 옛날의 고귀한 유물을 걷어가고 평양박물관에는 물까지 질러놓았다 놈들의 략탈은 이로서 끝이지않었다 서울 대구 경주등 각도시의 박물관과 궁전 사찰에 수많은 보물- 그종에서도 「신라왕판」 으로서 조선사람 누구에게나 알여지고 자랑이되여있던 경주 서봉총에서 발굴된 세계적 보물 「신라금관」 까지 놈들의손에 략탈되였다

「국방군」 내 량심있는 사람들이여!

대채 당신들은 무었을위하여 목숨을받처 전쟁에 나왔으며 무었때문에 싸우고있는가? 그래도 당신들은 미국놈과 그앞재비 리승만도당을 받드러 개죽엄을 하겠는가? 조선사람이면 누구나 다 조국을 위하여 싸워야한다 량심을갖인 조선사람들이여!

우리들의 민족문화을 직히기위하여 그략탈자인 파렴치한 미국강도놈들에게 죽엄을주자! 그리고 아름다운 우리 조국강토와 고유한 우리민족의 문화유산과 조선인민의 생명재산을 우리들의 손으로 철석같이 보위하자!

사진은 힐트벨론의 집에 걸여있는 호피모단
(미족신문 「뉴욕타임」 에서)

조선인민군 총참치국
평양 조선중앙방송국에서는 매주 월요일과 금요일 22시 15분에 당신들에게 보내는 방송이 있습니다.

1125187

북한인민군이 국군과 남한 주민을 상대로 뿌린 삐라다. 미군이 한국의 귀중한 역사 유물을 약탈하고 있다는 내용이다.
한국민과 미군의 분열을 노렸다. 1951.

조선사람들이여!
기억하고 있는가?
지난날 왜놈은 우리에게서 식기 조저등 철물을 걷어
갔다면 미국강도놈들은 오늘 조선의 궁전 및 박물관
등에서 력사적유물과 귀중품들을 모조리 탈탈해 가고있다

№47

미제의 조선에대한 무력간섭도 조선인민들의 통일독립을위한 투쟁과 승리를 파란시키지는못한다

인민군의 영웅한 모습

미제는 5년동안 남조선을 식민지예속화 하기위해서 자기의 충견인 소위 유·엔 조선 위원단의 「감시」하에 리승만 잘인도당을 리용해서 감행한죄는 어떠한가? 미제의 분할과 식민지정책을 반대하는 애국적 우리동포를 학살한것이 15만명 테로루욕한것이 48만에 이르며 애국적 정당들과 사회단체들을 130개나 해산하고 남조선자본의 90% 이상을 미제가 지배하였다 40%의 토지는 경작되지않았으며 38선에서는 1200여번의 조발사전과 71회의 공습과 기타 갖은 야만적 예속화정책을 감행하였다 그러나 이러한죄악적 폭행에 도 불구하고 미제의 침략목적은 달성치못했을 뿐아니라 이들은 그의 추구인 리승만이와 더부러 서울에서 쫓겨나서 일본동경에서 패잔한 「국방군」 당신들을 마지막 죽엄의구렁으로 내몰고있다 미국과 리승만 괴뢰도당들은 인민들에게서 고립되었다 그러나 우리인민공화국은 인민들의 절대한 지지속에 무한히 장성강화되였다 인민군과 인민유격대와 의용대는

(뒷면에 계속)

№47

Batch No. 3□□
Item No. 4□

2□□659

북한인민군 총사령부가 국방군(국군)에게 뿌린 삐라다.
미 제국주의의 한반도 침탈을 비판하고 국군의 귀순을 독려하는 내용이다. 1951.

№47

 (전면에서 계속)

미국 비행사의 죽엄

진정한 인민의 아들딸로서 조직되어 성난과도와같이 당신들에게 육박하고있다 우리들의 후방에서는 근로인민들의 증산투쟁으로서 많은 전쟁필수물자들이 전방으로 공급되고 있으며 농민들은 다량의 량곡을 우리에게 보내주고 있다

어디그뿐이랴! 세계에서 가장 강대한 쏘련을 비롯한 민주국가는 물론 미국 영국 불란서 화란등 제국주의 국가의 자유애호 인민들까지도 조직된 힘으로써 우리공화국을 지지하여 거대한 성원을 보내주고있다 패주잔존한 「국방군」들이여!

당신들은 당신들이 전쟁에서 승리할수있는 조건이 있는가 없는가 하는것을 꼼꼼히생각하라 오직승리와 자유행복은 인민의 편에있다

「국방군」들이여! 죽엄과 멸망을 원하거든 미국 「원조」와 리승만을 믿어라

우리는 동족의 사랑으로써 당신들이 즉시 인민군에게 투항하거나 폭동을 일으키여 미국 전쟁상인들과 리승만도배에게 총뿌리를 돌릴것을 권고한다

당신들의 부모와 처자는 당신들아 살아서 속히 도라올것을 기다리고있다

조선인민군총사령부

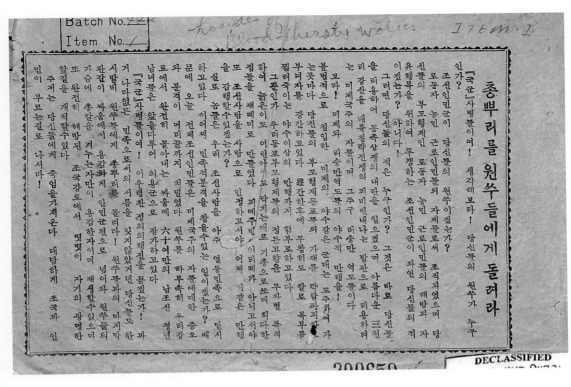

위: 국군 병사들에게 진짜 원수는 미국과 이승만 도당이라며 분열을 조장하는 삐라다. 1951.

아래: 미국을 향한 적개심을 유도하는 삐라다. "미국놈들과 악질상관놈들을 쏘아죽이고 인민의 편으로 나서라"고 선동한다.

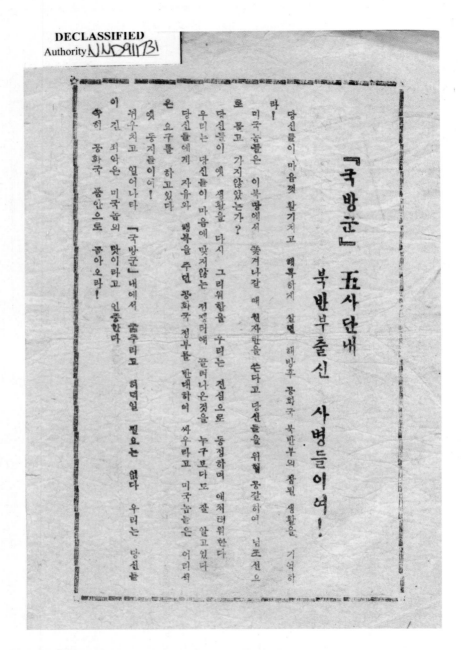

국군 5사단 병사를 타깃으로 뿌린 삐라. 5사단 병사 중 북반부(이북) 출신 사병에게 귀순을 권유하는 내용이다. 1951.

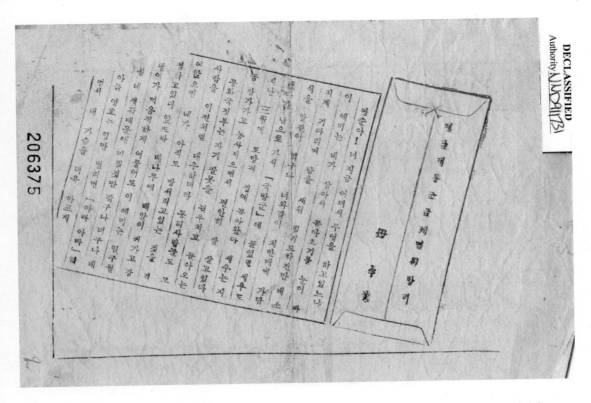

뒷면은 이북 출신으로 국군에 들어간 병사의 어머니가 아들에게 보내는 편지 형식의 귀순 권유 메시지를 실었다.

망국노 되기를 원하지않는 조선사람들이여! 굳게 단결하여 미국강도를 조선에서 몰아내자 !

206376

미국을 강도라고 부르며 적개심을 고취시키는 삐라다.

뒷면에는 부산 초량동에서 물건을 강탈하는 '날강도' 미군을 '조선인민'이 응징하는 4컷 만화를 실었다. 1951.

이른바 '상이용사' 문제를 거론하며 남한 내부 분열과 국군 사기 저하를 노린 삐라다. 1951.

리승만부대의 장병들이여!

　당신들은 부상당한 당신들의친우들이 오늘 후방에서 처하고있는 사정을 잘알고있을 것이다. AFP통신이 전하는 소식에의하면 리승만정부는 그들을 냉대하며 부상당한후 보조도주지않어 수많은사람들은 밥조차 얻어먹지못하여 거리에서 헤매고있으며 연필 필기장등을 팔아 연명하는둥 극히곤난한 생활을하고있다. 이러한처지에있는 부상병이 무려 十여만이나 된다고한다.

　당신들은 생명의 위험을 무릅쓰고 리승만을 대신하여싸운 그들이 왜 불만을 품고있는가를 짐작할수있을것이다. 9월18일 그들은 대구북쪽三키름되는 칠곡경찰서를 습격하여 그들을 압박하던경찰3명을 숙청하였다. 9월20일에는 三百여명의 부상병들이 또다시 부산정거장에서 시위하였다. 이때 리승만정부는 도리어 헌병을 보내 진압하였다.

　벗들이여! 생각해보라! 당신들의 전우들이 처하고 있는 운명을 그리고 당신들자신의 앞길을! 놈들은 결코 당신들의 사정이라고는 죠곰치도 생각지않는다. 그러라면 다시매국적 리승만을위해 목숨을 버리지말라!

국군을 타깃으로 군 이탈을 조장하기 위해 제작한 삐라다. 1951.

리승만부대의 장병들이여 !

금년가을 남죠선의농사는 흉작이다 ○ 때문에 금년 11월부터 이후 ½년동안에 전남죠선에는 3개월 — 70만톤량식이 부족된다 (일년수요량은 260만톤), 이것은 즉 수많은 남죠선인민들이 어느때 굶어죽을지 모른다는것을 말한다 ○

농사는 왜 잘못되였는가 ? 미국사람이 말하기는 『너무 가물었기때문이다 』 리승만 역도의말은 『미국사람이 비료를 늦게 실어왔기때문이다 』라고하였다 .

기실은 이런것은 모두 진정한 원인이 아니다 . 진정한 원인은 미국강도와 리승만 역도들이 남죠선의 수많은 농민들을 강제로 싸흠터에 내몰아 농촌에는 농사지을사람들이 없어졌기때문이다 ○

생각해보라 ! 만약 전쟁이없었다면 가움이나 비료부족이 농사에 주는 피해는 그렇게까지는 심하게 되지않았을것이다 ○

여러분 명년에 굶어죽는사람을 없게하려면 당신들은 다같이 단결하여 정전담판을 지연시키는 미국정부를 반대하여 하두속히 평화를 오게하라 !

당신들은 집에도라가 농사것도록하라 !

자기의 부모처자를 굶어죽게하지말라 !

북한인민군 사령부가 남한 주민을 타깃으로 뿌린 삐라. 이승만 정부 불신과 내부 분열을 유도하는 내용이다.
미 극동사령부도 북한 주민을 타깃으로 이와 똑같은 삐라를 제작해 살포했다. 1951.

리승만 매국역도들은 여러분에게 농지개혁에 의하여 땅을 분배하여 모두가 다 잘 살게 한다고 큰소리 쳤다. 이얼마나 듣기 좋은 약속인가… 그러나 실제에 있어 리승만역도들이 이 약속을 지킨법은 없다. 보라! 오늘날 남조선에서는 리승만역도 무리가 백성들에게서 빨아내며 먹을것이 없어 허덕이는 사람에게서도 공출은 강요하고있지않는가 이 모든 **"공출"**이야말로 괴뢰군의 무기와 식량과의 약품을 공급하기 위한것이라하면서…… 그러나 괴뢰군 장병들은 이것이 거짓말이라는 것을 잘 안다. 그들의 영양분 없는 음식과 무기등의 부족은 이사실을 명백히 증명하고있다. 그러면 백성들이 굶주려가며 세금과 곡식은 다 어데로 간단말인가? 이에대한 명백한 대답은 이것이다. 백성들은 굶주리고있는데 리승만역도들 만부정한수단으로잡혀과살쪄있는것이다

리승만역도들을 타도하라!
미국침략자들을 몰아내라!

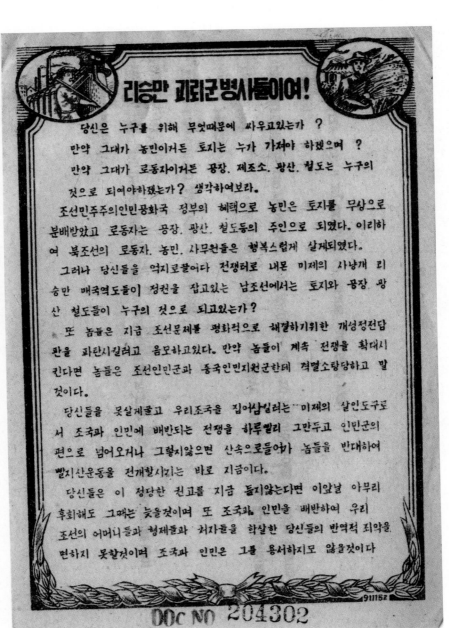

미제의 살인 도구 역할을 그만두라며 투항을 권고하는 삐라다. 1951.

북한인민군 총정치국이 국군 병사를 타깃으로 뿌린 삐라다. 대일강화조약과 미일안전보장조약으로
미국과 이승만 정부가 일본을 다시 한반도에 끌어들이고 있다고 비판한다. 1951.9.

북한인민군이 국군 사기 저하를 목적으로 만든 삐라다. 이승만 정부가 전쟁에서 부상당해 제대하는 국군 병사에게
소고기 한 근 값 정도만 지급한다고 비판하는 내용이다. 1951.

소위「국방장관」 이기붕이란 어떤놈인가?

소위「국방장관」 이기붕이는 일쯕 서울에서 국일관 요리집의 뽀이대장이였고 미국에 가서는 미국에 사는 조선동포들을 기만하며 착취하던 이승만의 충실한 졸도이였다

조선이 해방된후 서울에와서 이승만의 비서를 하다가 그후 서울시장의 자리를 얻었으며 매국노 신성모가 二十억원 횡령죄로 면직이되자 아무것도 모르는 이기붕이는 이승만의 양자덕에 그놈의 처가 여호같은 게집년 애리쓰와 친하는덕으로 소위「국방장관」으로「출세」하게된 것이다

매국면도 이놈들은 그대들을 주검의 전쟁터로 몰아내고서 인민의 고혈을 빨아 사리 사욕만 채우고 있다 「국방군」장병들이여! 만일 그대들이 이전쟁에서 병신이 된다면 누만원의 제대비를 받게될것이며 아까운 생명이 끊어진다면 전사자「사금」으로 十二만원 그대들의 가족에게 지불된다고 한다 서울에서 쌀한말에 죠만원, 소고기 한근에는 죠만죠원하니 대체 이돈으로 무엇을 하겠는가? 대체 그대들은 누구를 위해서 무엇때문에 이전쟁터에서 추위와 고통을 하고 있으며 아까운 생명의 위협을 받고 있는가?

조선사람들이여! 조선은 우리조선인... 침략자 미국놈과 그의주구 이승만 역... 정의의 총뿌리를 용서없이 돌려대...

뒷면에는 이승만의 측근인 이기붕 국방장관을 비판하는 내용을 실었다.

죽어가는 국군 병사가 고향에 두고 온 아내와 자식 모습을 떠올린다. 왼쪽 가슴 위에 까마귀가 앉아있다.
국군 병사를 대상으로 무의미한 죽음을 피하라는 메시지를 담은 삐라다. 1951.

형제들이여!

당신은 이 전쟁판으로 오고싶어 온것도않이였습니다.

당신은 미제국주의와 라승만의 강박밑에 할수없이 싫은전쟁판으로 끌려왔습니다.

당신이 그들을 위하여 죽으면 무슨값이 있겠습닛까?

당신의 사랑하는 안해와 아해는 울면서 당신이 도라가기를 기다리고있소!

미국에 대한 적개심을 불러일으키기 위한 삐라다. 1951.

미군이 한국 가정을 파괴한다는 선전 삐라다. 1951.

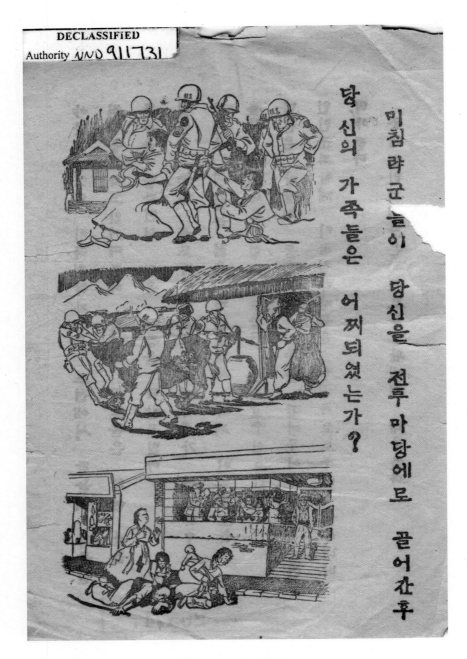

중국인민지원군이 국군을 상대로 뿌린 삐라다.
미군이 한국 땅에 와서 학살, 간음을 자행하고 있다며 이들을 쫓아내자고 촉구한다. 1951.

야만 잔악한 미국침략자들은 조선에서 하늘에 사무칠

죄행을 하고있기때문에 당신의 동포들은 학살 간음

룡육을 당하면서 갖은 고룡을 다받고 있다

벗아! 누가 부모가 없으며 형세자개가 없으랴?

당신은 피끓는 젊은 청년으로서 어찌 미국강도들

들의 제멋대로 힘포무도함을 용납할수 있으랴?

당신은 마땅히 동포들의 원수를 갚어주어야하며 조선

인민군과함께 미국침략자들을 우리국토로부터 쫓아내버

라야 한다

중국 인민지원군은 포로를 관대히 대우 한다

북한인민군 총정
치국이 미군 병사
를 타깃으로 제작
살포한 영문 삐라
다. "고향으로 가
는 길을 누가 막
나"라는 제목을
달았다. 1951.

뒷면에는 미국이 개성에서 열리는 정전회담을 결
렬시키고 전쟁 지속을 꾀하고 있다면서 살아서 고
향으로 돌아갈 길은 귀순밖에 없다는 메시지를 담
았다.

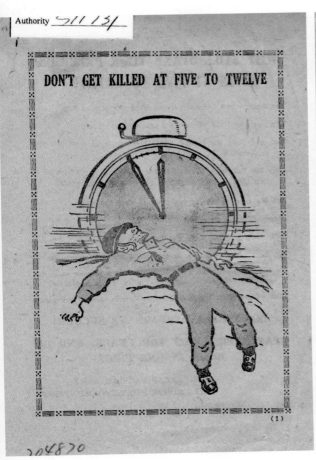

DON'T GET KILLED AT FIVE TO TWELVE

(1)

204820

WHY STILL STAKE YOUR PRECIOUS LIVES AT FIVE TO TWELVE?

The Korean and Chinese peoples want this war to stop.

The peoples of the world want this war to stop.

You and your loved ones want this war to stop so you can go home.

Only the Fat Boys in Wall Street want the war to go on so that they can go on raking in those big war profits.

But the peoples are forcing them to stop the war.

Peace talks are going on.

Still, your generals keep you fighting.

Ten days (July 21-31) have cost you 5,200 more casualties.

It's not worthwhile to get killed a week, a day or even five minutes before the war stops while this is avoidable

Take advantage of the Safe Conduct Pass in case of emergency.

DON'T BE A LAST-MINUTE SUCKER!

STAY SAFE, FIGHT FOR PEACE, AND GO HOME IN ONE PIECE

THE KOREAN PEOPLE'S ARMY
THE CHINESE PEOPLE'S VOLUNTEERS

（傳 单）

북한인민군과 중국인민지원군이 미군을 타깃으로 막판에 목숨을 걸지 말라는 메시지를 담아 뿌린 삐라다. 1951.8.

뒷면에는 정전회담이 진행된 열흘 사이에도 5천여 명의 미군이 사망했다며 막판에 귀중한 목숨을 걸지 말라는 메시지를 담았다.

한국군의 부상병 처우를 비판하는 삐라다. 부상병 제대비가 쌀 두 말 값에 불과하다며 사기 저하를 조장한다. 1951.

부상병은 어떻게 될가?

서울 에서는 『상이군인』의 이름을 갖인 병신이 된 거지들이 거리에 넘치고 있다‼

『국방군』 장병들이여!

그대들은 전장에서 부상만 당하고 다행이 죽엄을 면한다 하드래도 그다음에 그대들의 앞에는 무엇이 닥쳐 올것인가? 그런것을 한번이래도 생각 해 본 적이 있는가?

다리가 부러지고 팔이 나라나고 눈이 까지고 해서 놈들이 그대들을 다시 전장에서 더 써먹지 못 하게되면 그대들에게 7만원의 소위 제대비가 지급 될것이다

7만원! 불과 쌀 두말 값이다 그다음은 대체 그대들은 무엇으로 살아 갈것인가?

주립. 빈궁. 멸시. 헌신짝 같이 버려진 불구자의 앞에는 죽엄이상으로 무서운 암흑세계가 있을뿐 ― 생각만해도 몸서리치는 일이 아닌가?

『국방군장병』들이여! 한시 바삐 죽엄과 빈궁과 암흑의 위협에서 버서나기 위하여 인민군대 편으로 넘어오라! 무기를 버리고 넘어오는 그대들을 인민군대는 진심으로 환영한다‼

조선인민군 총정치국   926/61

미국 측의 정전회담 무기한 중단을 비판하는 삐라다. 1951.10.

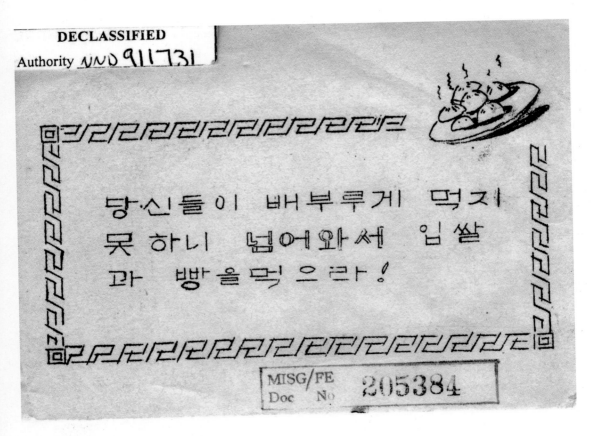

한국군에게 투항을 권고하는 삐라다. 1951.

공산군 측이 만들어 배포한 미국과 일본 제국주의 비판 만화. 맥아더 사령부가 일본 군국주의 부활을 돕고 있다는 내용을 담았다. 1951.

(16) 그러나 미제국주의는 또 일본 휘발유, 화약, 수정

을 만드는 군화공업을 돌고있다

(17) 쌔놈들은 중국에서 가는곳마다 중국인민을 집으
로부를 짜르고 닝장으로 처두며 집체 총살을 하는등 가
지가지의 잔혹한 방법으로 살해하였다

1951/2/27일

(19) 포츠담공고에 트루맨은 조인을 하였으나 그는 또 어느듯 이 공고를
뭇어버리고 미제는 당당하게 국제협정을 짜버리고 일본에 대하여 단독
강화를 맺고 다시 무장시키려고 망상거리고 있다 이것은 그가 전세계
인민앞에서 또 한번 그 철막의 본질을 폭로한것이다

(20) 포츠담공고에 『일본인민을 속이고 또 그릇되게 영도하여 그토하여금
쎄게를 정복하려고 망상하던 권위 뭇 세력은 영구히 업쎄버려야 할것
이며 우리들이 이런 군국주의자를 쎄게에서 몰아내지 않는다면 평화와
질곡 정의의 새 질서는 세울수 없는것이다』라고 명백히 규정되여있다

(21) 그러나 오늘날 미제국주의의 통치밑에있는 일본은
이전의 팟쇼사회단체를 지금 어언히 공개적으로 활동하
게하며 그들은 일본 청년에게 복수를 뺀 나머를 또 다시
전화하는 군국주의 사상을 불어넣고있다 이런 팟쇼사회
단체들은 백아더의 묘호를 받은뿐만아니라 또한 공개적
으로 백아더 총부로부터 많아더 활동경비를 받고있다

(22) 포츠담공고에 『일본군대는 무장을 완전히 해제한다유
그들을 고향으로 돌녀보내여 평화생산에 종사케할 기회
를준다』라고 명백히 규정되였다

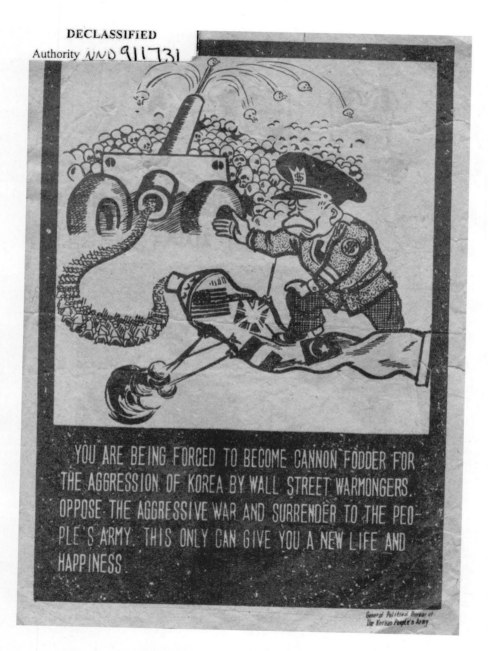

북한인민군 총정치국이 미군을 타깃으로 제작한 영문 삐라다.
미국 월스트리트 전쟁광의 '대포 밥(cannon fodder)'이 되지 말고 항복하라는 메시지를 담았다. 1951.

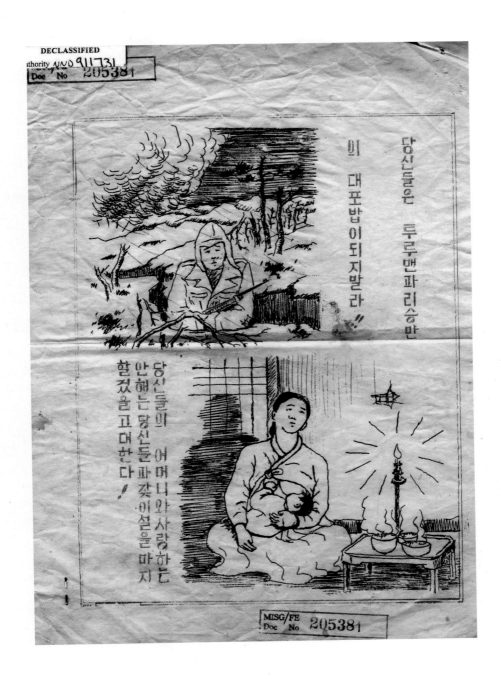

중국인민지원군이 한국군 3사단 병사를 타깃으로 제작해 살포한 4장짜리 만화 형식 삐라다. 1951.12.

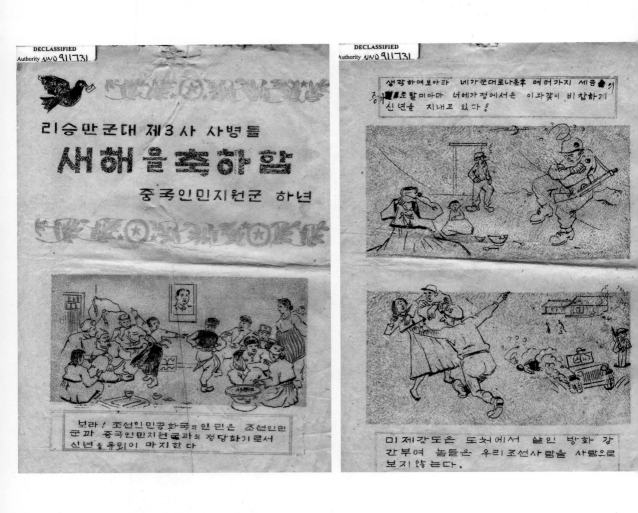

화평담판을 옳바르게 진행하라 죽으면 앞으로 너이
들이 집에돌아가는 육부모를 능히 볼수있겠는가? 넘어
오라 이것은 가장안전한 길 이다

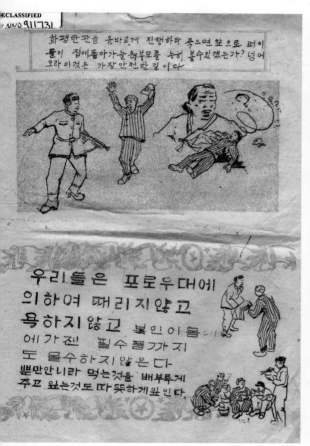

우리들은 포로우대에
의하여 때리지않고
욕하지않고 병인이듬에
에가전 필수품가지
도 몰수하지않은다
뿐만안니라 먹는것을 배부르게
주고 앓는것도 따뜻하게봐 인다

미국강도놈은 남조선의동포들을 붓자바다
포탄을메우고 공사를패우고 뜨한욕을하고
매를때린다!

너이를 잔관은 호이 효심에 탑오 부하로 지내며 너이들은
하로에서 두줌 쌀을주니 배부르게먹지못하고 따뜻하게
길기못하고 또한 모욕구라를 당하지 않오냐!

북한인민군 총정치국이 국군 병사를 대상으로 뿌린 삐라다. 1951.

북죠선에집을가진 리승만부대 장병들이여!

　　당신들은 미국강도와 매국적리승만의 기만과 위협
으로 젊은고향과집을 떠난지도 퍽오래되였다。

　　원래당신들은 남죠선에가면 좋은출로가 있을줄만
알었은것이나 매국적리승만은 당신들을 강제로 군대에
내몰고말었다。 당신을 따라간 집안식구는 가지고간
돈푼까지도 다써버리고 지금은 배급도 받지못하여 생
활은 극히 곤란한형편에 처하고있으며 북죠선에 남아
있는 가족은 당신들이 죽엄을 걱정하여 날상근심하고
있다。 이와같이 쓰라린생활에처한 당신들은 집에도라
오고싶은 마음이 극히 간절하련만 아직도 도라오지
못하고있다。

안심하고 넘어오라!

　　죠선민주주의인민공화국정부와죠선인민군 중국인민지
원군은 당신들의 일체쓰라린 사정을 잘리해하고있다。
당신들이 마음을 돌려 북죠선으로 도라온다면 정부는
당신들을 **관대히 대우** 할것이다。 뿐만아니
라 당신들의 요구대로취직을 원하는사람은 직
장으로 알선해주며 집에도라가기를 원하는 사람은 집
에도라가도록 도와준다。

　　하루속히 결심하고 수치스러운 매국적리승만군 대를
탈퇴하라!

206767

북한인민군이 이북 출신 국군 병사를 타깃으로 제작
살포한 탈주 권고 삐라다. 1951.

유엔군이 '안전보장증명서(SAFE CONDUCT PASS)' 류의 삐라를 살포해 적의 의지를 꺾으려 한 것처럼 중국인민지원군도 비슷한 삐라를 만들어 뿌렸다. 제목은 영어로 'SAFE CONDUCT PASS', 중국어로 '투항안전증(投降安全證)', 한글로는 '통행증'이라고 달았다. 1951.

정전협상 결렬 책임을 묻는 삐라다. 1951.

어떻게 살아갈까?
양식은 다 떨어져 석달째나 풀뿌리와
나무껍질을 먹고 지낸다
어린것들은 애처롭게도 배고파 울고
남편인진 이 신세를 알고도 놈들 밑에서
싸움질을 하는걸까?!
차라리 죽어 없어지고 싶다만 어린것들이…

MISG/F
Doc No. 206076

「國防軍」士兵들이여!
당신들은 그리운 안해의 한숨겨운
울음소리를 듣지 못하는가?

몇마지기 되는 논밭에서 애써 거둔 곡식은
작년가을에 모진 공출과 「상환미」로 거의
다 빼앗겼다 「먹을건 왜 남겨두지 않았
느냐?」하겠지만 경찰놈들과 테로단놈들
이 총칼을 드려대고 덤벼드니 별도리가
있었겠는가!
늙은 아버지와 어린 동생도 한달전에 「사
람공출」에 끌려나갔다 삯돈도 못받는
모진 고역에! 석달기한이라 했지만
놈들이 하는짓이란 믿을수 있나!
정부네 뭐네하고 거들거리는 그놈들이 바로
당신들의 원쑤다 권총을 휘두르며 호령
하는 그놈들이 바로 당신들의 적이다
당신들을 보고는 더럽다고 낯을 찡그리는 그
양키놈들이 바로 당신들의 원쑤인 것이다
총뿌리를 그놈들에게 돌려대라!!
내나라 내 가정을 찾기 위하여
그놈들을 없애치우라!

2508

북한인민군이 한국군 사병을 타깃으로 제작, 살포한 삐라다. 남한 농촌의 비참한 현실을 내세우며 분열을 조장하는 내용이다.
1951.

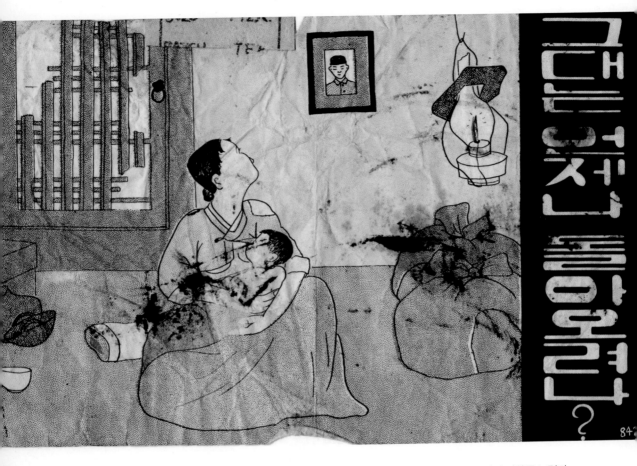

"그대는 언제나 돌아오려나" 전쟁터로 떠난 남편을 그리워하는 아내의 모습을 그린 삐라. 국군 사기 저하를 노렸다.
벽에 걸린 사진을 보는 아내의 시선, 동양화 풍의 그림이 향수를 더욱 자극한다. 1951.

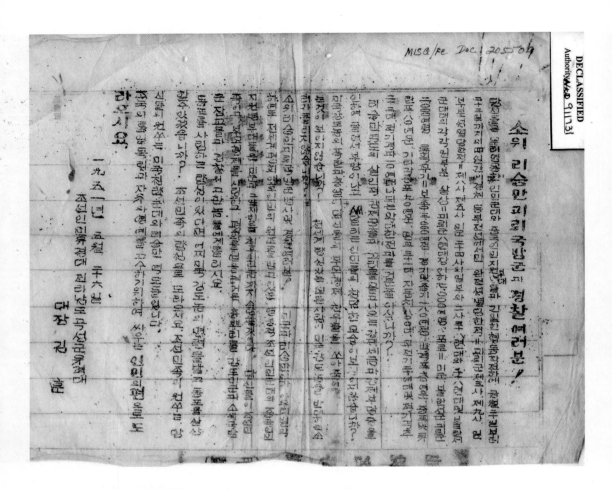

국군과 경찰에게 조선인민유격대 전남 곡성군 유격대 대장 김훈이 보내는 서한 형식의 삐라다.
인민 편으로 돌아와 이승만 역도와 미군에 맞서 싸우자는 내용이다. 1951.5.26.

북한인민군 총사령부가 한국전쟁 발발 1주년을 맞아 국군 병사를 타깃으로 제작, 살포한 삐라다.
1년간 유엔군과 국군의 인명 피해가 33만 9천여 명, 포로는 8만 5천여 명에 이른다고 주장한다. 1951.6.

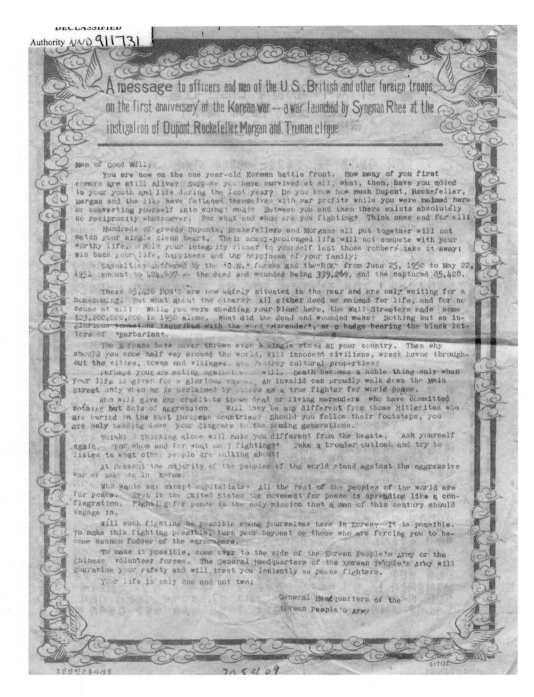

'한국전쟁 1주년' 삐라 영문 버전이다.

SUMMARY OF INFORMATION

DATE 11 August 1951

PREPARING OFFICE 2d CIC Det, 2d Inf Div, APO 301 SI-KOR-2-8(10c)

SUBJECT ENEMY PROPAGANDA LEAFLET

M 6484

CODE FOR USE IN INDIVIDUAL PARAGRAPH EVALUATION	
OF SOURCE:	OF INFORMATION:
COMPLETELY RELIABLE . . . A	CONFIRMED BY OTHER SOURCES . 1
USUALLY RELIABLE . . . . . B	PROBABLY TRUE 2
FAIRLY RELIABLE C	POSSIBLY TRUE 3
NOT USUALLY RELIABLE . . . D	DOUBTFULLY TRUE 4
UNRELIABLE . . . . E	IMPROBABLE 5
RELIABILITY UNKNOWN . . . F	TRUTH CANNOT BE JUDGED . . 6

SUMMARY OF INFORMATION. MAPS: AMS - Korea - 1:250,000

Attached to the original copy only as EXHIBIT "I" is a North Korean People's Army propaganda leaflet which was picked up in the area occupied by Company "C", 1st Bn, 9th Inf Regt, 2d Inf Div, in the vicinity of Pangi-gol (DT1128) (about 0630 hours, 10 August 1951).

At 0200 hours, 10 August 1951, an unidentified airplane was reported in the area (DT1128) and this leaflet is thought to have been dropped by the airplane.
(C-3)

CCICF DOC NO 1407089

DISTRIBUTION
4 - 308th CIC Det
1 - 210th CIC Det
1 - G-2, 2d Inf Div
1 - File.

WD AGO FORM 568

CONFIDENTIAL

DECLASSIFIED Authority NND007006

미군의 북한 삐라 발견 보고서다. 제목은 '적군 프로파간다 삐라'다. 1951년 8월 10일 오전 6시 30분, 미 보병 2사단 9연대 1대대 C중대가 '판지골'에서 이 '한국전쟁 1주년' 삐라를 발견, 수거해 보고서에 첨부한다고 적혀있다.

미국의 대일단독강화 정책을 비판하는 삐라다. 1951.

"한국은 한국인에게 맡겨라"는 메시지를 담은 삐라. 1951.

ARMISTICE TALKS GIVE PEOPLE NEW HOPE

Your folks are longing you will soon be home—safe and sound. This is what they are writing—

July 16, 1951

My Dearest Darling,

Well, sweet, first of all let me tell you that I love you with all my heart. Oh, it was with such joy we heard the news of ceasefire talk in Korea, and there is a great hope in our hearts that soon you'll be home, darling please be back quickly to care for me and our lovable baby.

I'm terribly waiting for a letter see you're coming home. I'm praying for the day when I can see you walking in the door to me. I had a dream last night that I saw you quite clearly running towards me. I don't know why we have to have war. I wish you'll never leave me again, I know you can have your old job if you left the army. I need you dear, my life is empty without you.

Your everloving wife

The best way home is real peace in Korea. And the first step to real peace is to fix the 38th Parallel as the military demarcation line between both sides for the establishment of a demilitarised zone.

**THE KOREAN PEOPLE'S ARMY
THE CHINESE PEOPLE'S VOLUNTEERS**

（和談傳單）

INCLOSURE # 3

북한인민군과 중국인민지원군이 공동명의로 뿌린 삐라. 정전회담이 새로운 희망을 주고 있다는 내용이다. 1951.

MR. ACHESON, YOUR STRIPED PANTS ARE DOWN!

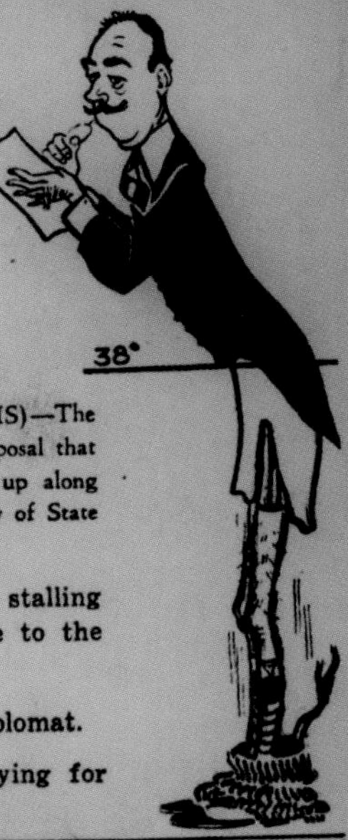

Here's What You Said in June:

WASHINGTON, June 7 (AP) —Secretary of State Acheson repeated at the Senate's MacArthur inquiry Thursday that UN forces in Korea would agree to a reliable armistice on the 38th parallel.

Here's What You Say in August:

WASHINGTON, Aug. 1 (USIS)—The U.S. cannot accept the Communist proposal that a demilitarized zone in Korea be set up along the 38th parallel, according to Secretary of State Acheson.

Now you and your pals are stalling the peacetalks, refusing to agree to the 38th parallel.

You think you're a smart diplomat.

But American boys are paying for your smartness with their lives.

BUDDIES, BE ON GUARD FOR PEACE — FIGHT FOR PEACE! THE POLITICIANS IN WASHINTON WILL DOUBLE-CROSS PEACE IF THEY CAN

— AN AMERICAN SOLDIER —

(一個美國兵斥責艾奇遜阻撓和談的傳單)

DOC NO 204162

INCLOSURE # 4

정전회담에서 미국이 이중 태도를 취했다고 주장하는 삐라다. 1951.

한국군을 상대로 귀순을 권유하는 삐라다. 1951.

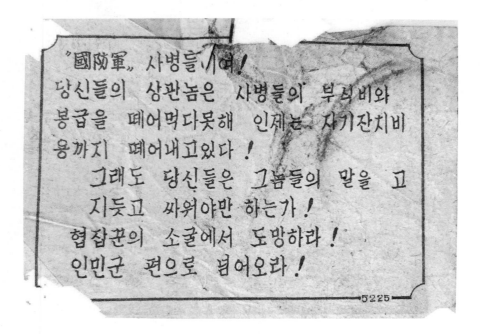

뒷면에는 한국군 내부 분열을 조장하는 메시지를 담았다.

북한인민군과 중국인민지원군 사령부가 공동명의로 제작 살포한 '안전보증서' 형식의 삐라다. 1951.

의거入北하여 환영받는
괴뢰군 제7사 3련대 1대대 장병들

조선인민군과 중국인민지원군은
의거入北 하는 당신들을 언제나 환영한다

한국군을 상대로 귀순을 권유하는 삐라다. '의거 입북'한 한국군 단체 사진을 넣었다. 1951.

뒷면에는 귀순한 한국군 소령의 사진과 이름을 실었다.
왼쪽 아래엔 "이 삐라는 인민군 편으로 넘어오는 신변안전보증서로도 된다"라는 문구가 적혀있다.

우리들은 조국의 품안으로 도라왔다!

의거입北하여
열렬한 환영을 받
고 있는 괴뢰군 7
사 3련대 1대대장
김 엽 소령

괴뢰군 대대장으로 있다가
의거입北하여 인민군 고
급幕僚으로 복무하는
강 태무동지와 김 엽
소령이 담화하는 장면

이 삐라는 인민군편으로 넘어오는 신변안전보증서로도 된다

북한인민군이 추석 명절을 맞아 국군을 타깃으로 뿌린 삐라다.
후방의 추석과 전선의 추석을 계급으로 나눠 대비했다. 후방 추석은 다리 위와 아래 풍경을 비교했다. 1951.9.

뒷면에는 전선의 추석을 계급으로 나눠 비교했다.
오른쪽 아래에 "이 삐라는 인민군 편으로 넘어오는 신변안전보증서로도 된다"라는 문구를 기재했다.

북한인민군·중국인민지원군 - 1952

북한인민군이
1952년 임진
년 새해를 맞
아 뿌린 삐라.
조국 통일과
평화 쟁취를
다짐하는 내
용이다.

이것이 소위 미국식 「원조」의 결과 이다!

똑々히 보라! 굶어죽은 어머니의 식은 젖을 쥐고
배끄파 우는 어린애의 처참한 광경을!

당신들의 후방에서는
수많은 동포들이 굶어 죽고 있다!
이렇게 만든놈은 바로 미국놈이다!
미국놈을 처부시는 조선인민군 편으로 넘어오라! 4045

북한인민군이 국군을 타깃으로 남한의 물가 폭등 때문에 많은 사람이 굶어죽고 있다고 주장하며 귀순을 유도하는 삐라다. 1952.

쌀 한말 7万원

MTSG/PT
Doc. N   206080

천정 모르고 올라가는
남반부의 물가
당신들의 부모처자는
어떻게 살것인가?

70000 원
60000- 1952.2月
50000- 1952.1月
40000- 1951.11月
30000- 1951.10月
20000-
10000-

설 명절을 앞두고 향수를 자극하는 삐라다. 앞면에는 과거 명절을 지내던 장면, 뒷면에는 현재 전선에서의 모습을 배치했다. 1952.

MISG/FE Doc No 205380

누가 당신을 집에돌아가설 을못쉬게 하는가

정전단판이 이직까지 합의 되지못한것은 바로미제국
주의자들이 정전하기를 싫어하며 긴장한 국제정세를
유지하며 지속군비를 확충하며 전쟁의 호재를 낼기
때문이다   리승만 괴뢰군 장병들이여
설날이 닥처왔다 당신들은 집에돌아오기를 원하고
정전평화를 원할것이나 그러나 투루만 리려웨이와
리승만들은 전전을 싫어하고 평화를 싫어하며 홍재
벌기에만 날뛰고 있다 그들이 당신들의 소원을
추호나마 고려할것인가 ? 그들은 당신들이 돌격
하여 목숨팔기를 요구하며 전쟁마당에서 죽을것과
패가망신을 원하는것이다 따라서 당신들의 앞에는
다만두갈래의 출로뿐인 것이니
첫째   미군이 조중대표단의 공평합리한 제의를 접수
하여 정전을 실현할것을 요구할것
둘재 당신의 목숨을 남겨두려면 속히 무장하여
넘어오면   장래진으로 돌아갈수 있다

조선 인민군
중국 인민지원군

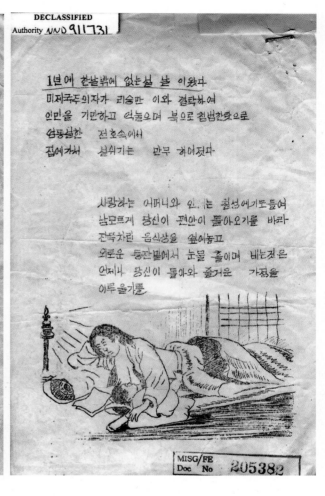

1년에 한날밖에 없는설 날 이왔다
미제국주의자가 리승만 이와 결탁하여
인민을 기만하고 억눌으며 북으로 침범한탓으로
엄동설한 전호속에서
집에가서 설쉬기는 만무 하여졌다

사랑하는 어머니와 안 는 칠성에 기도들여
남모르게 당신이 편안이 돌아오기를 바라
진뜩차린 음식상을 싶어놓고
외로운 등잔밑에서 눈물 흘이며 비는것은
언제나 당신이 돌아와 즐거운 가정을
이루울가를

MISG/FE Doc No 205382

정전협상 결렬 책임을 미국 측에 돌리는 내용의 삐라다. 북한인민군과 중국인민지원군이 공동명의로 제작, 살포했다. 1952.

The U.S.-British POWs have realized the unjustness of this war and are fighting for peace.

미군과 영국군 전쟁포로의 전쟁 중단 촉구 기자회견 모습을 담은 삐라다. 1952.3.

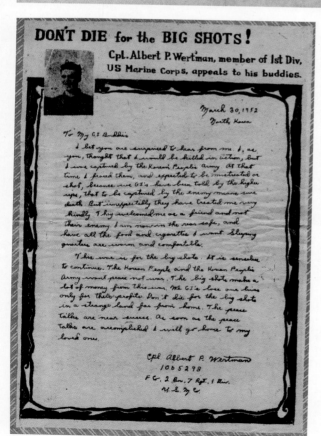

뒷면에는 미 해병 1사단 알버트 상병이 동료 병사들에게 쓴 손편지가 실렸다.

왼쪽 위: 정월대보름을 맞아 향수를 자극하는 삐라다. 1952.

오른쪽 위: 뒷면에는 정전협정 성사만이 고향으로 돌아갈 수 있는 길이라고 강조한다.

왼쪽: 미군이 인민군 '정월대보름' 삐라를 수거해 분석한 보고서다. 1952년 3월 5일 박격포로 한국군 진영에 살포됐다고 적혀있다. 미 극동사령부 심리전 부대가 3부를 받았고, 본국 육군부에 2부를 보냈다.

TRANSLATION:

Title: FULL MOON

Front Side:

It is the full moon of a new year (January). Just as usual the full moon has come again this year. Just as usual the moon came up. Are there any relatives waiting for you in your home town? Throw away your rifles! For your own happiness and the wishes of your girl friend, come back to your home town.

This leaflet will be used as a safe conduct pass!

Reverse Side:

The only way for you to come back to your home town is for the truce talks to be successful.

The Full Moon! In the good old times when there was peace, we could see the moon, enjoy feasting, and play games.

But Now?

Description: North Korean Leaflet to ROK Troops, Body No. 204,118
Originator of Leaflet: North Korean Army
How Disseminated: Mortar Shell — 5 Mar 52 Date
Area In Which Disseminated: I ROK Corps Sector
Number of Copies Received by Psywar, GHQ: 3 — 10 Mar 52 Date
Number of Copies Sent to Psywar, DA: 2 — 13 Mar 52 Date
Leaflet No: NK - ROK #61

정월대보름을 맞아 향수를 자극하는 삐라다. 1952.

정전회담에 임하는 미국의 태도를 비난하는 삐라다. 회담 중에도 공중폭격을 계속하는 미국을 비난하는 그림을 실었다. 1952.

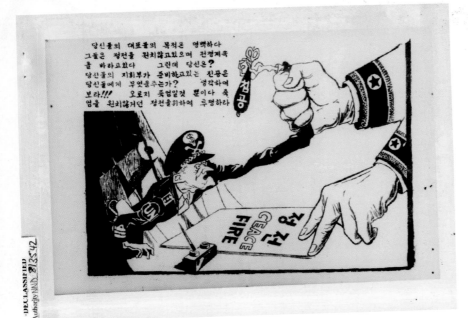

북한인민군이 국군 병사를 타깃으로 정전협정 타결을 위해 투쟁할 것을 촉구하는 삐라다. 1952.

미군의 민간인 집단 학살 장면을 그린 삐라다. 1952.4.8.

뒷면에는 수백 명의 민간인을 깊은 참호에 몰아넣고 학살한 사건을 다룬 신문기사 이미지를 실었다.

한국군에게 북측으로 넘어오면 안전한 곳에서 잘 대우해준다며 귀순을 유도하는 삐라다.

뒷면에는 한국군 귀순 병사를 의미하는 이른바 '의거자' 사진을 다양하게 실었다. 1952.

한국군 6781
부대 기동중대
병사 들이 북
한인민군에 귀
순한 장면을
그린 삐라다.
1952.8.

소 식 :

　　조선해방의　명절인　금년「8.15」7주년　전날밤
8월14일에　광주시　서석동국민학교에　강제징병으로
수용되여있던　천여명　청년들은　리승만강제징병을　반대
하여　폭동을　이르켰다．뒤이어　8월24일　광주역에
수둔중인　6781부대　기동중대　병사들은　참을수없는
미국강도와　매국적리승만역도들의　흑심한압박과　학대를
반대하여　영광스럽게　의거하였다．즉8월24일밤
11시　완전히무장한　10여명병사들은　가보초소를　습
격하여　보초경비원들의　무장을　해제시킨다음　장교의숙
소에　돌입하여　그들숙청하였다．그런뒤　숙사앞에서는
수발의총소리와함께「미국강도와　리승만역도를　타도하
라！」는　우렁찬　웨침소리에　호응하여　잠자던병사들도
문을박차고　이에합류하였다．

　　의거병사들은　일제히사격하여　주위를뒤덮어압하면서　빨
찌산기지로　건진하였다．의거병사들의　이와같은　단호
하고도　접격적인　행동과　질풍과같은기세에　위축돼포링
부근철도경비대원들은　대항할생각조차　하지못하고　야간
임을　요행으로　생각하고　분산도주하여버렸다．

（신화사 피양 발）

뒷면에는 6781부대 귀순 소식을 다룬 신화사 통
신 기사를 인용했다.

추석 명절을 맞아 향수를 자극하고 귀순을 유도하는 '손수건' 삐라다. 1952.

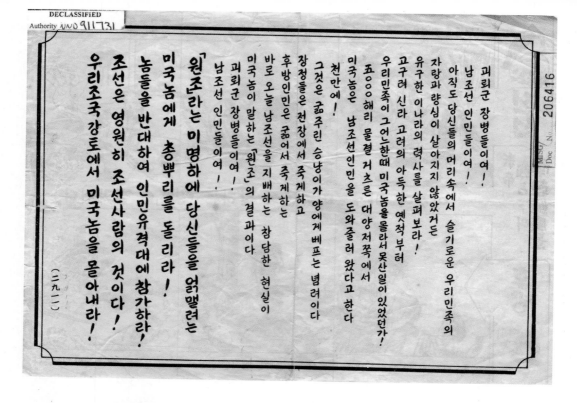

한국군과 남한 주민을 타깃으로 미국 원조의 본질을 비판하는 내용의 삐라다. 1952.
뒷면은 '미제 점령하의 남조선 풍경'이라는 제목으로 전선과 후방의 모습을 다뤘다.

미 제국주의 꼭두각시로 싸우다 죽는, 이른바 '개죽음'을 강조해 국군 사기 저하를 노린 삐라다. 1952.

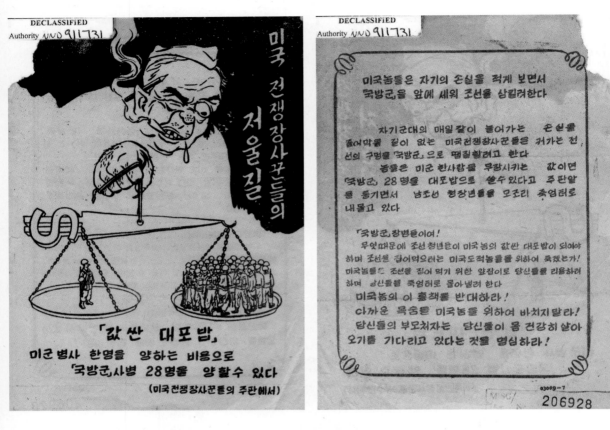

한국군과 미군의 분열과 갈등을 부추기는 내용의 삐라다. 1952.

부패한 국군 간부를 비판하는 내용의 삐라다. 국군 내부 갈등과 사기 저하를 노렸다. 1952.

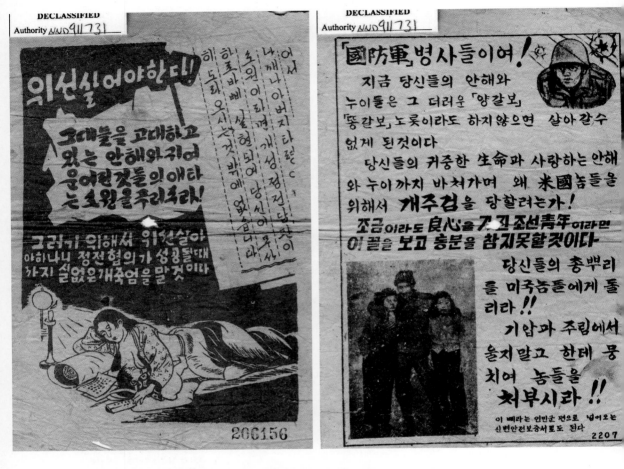

고향에 있는 처자식을 생각해서 정전회담이 타결될 때까지 목숨을 부지해야 한다는 내용의 삐라다. 1952.

미군 폭격으로 사망한 민간인 사진을 실어 적개심을 유발하는 삐라다. 1952.

북한인민군과 한국군을 대비해 인민군을 선전하는 삐라다. 1952.

중국인민지원군이 북한 재건 사업을 돕고 있다며
양국 간 우호 관계를 홍보하는 삐라. 1952.

dup. 208230

Do You Want To Know Why?

Do you want to know why the big Business of Wall Street and their politicians and generals are doing their best to wreck all chances of peace in Korea?

HERE ARE THREE REASONS:—

1. *They want to put three war bills through Congress—*

   ● *a military budget of 66.5 billion dollars.*

   ● *an appropriation of 8.5 billion dollars for 'aid' to the Atlantic Pact countries.*

   ● *a bill to increase income tax returns by 10 billion dollars.*

2. *They need war tension to put across their phony peace treaty with Japan. If the cease-fire talks in Korea were successful, the other countries would not sign smoothly, because they have suffered from Japanese militarism.*

3. *They are scared that peace in Korea will make the countries that are forced into the Atlantic bloc by U.S.A. relax their war preparations.*

IN SHORT, THEY ARE AFRAID OF PEACE IN KOREA, BECAUSE IT MAY DISTURB THEIR WAR PREPARATIONS AND MAKE THEM LOSE THEIR FAT WAR PROFITS.

They take it for granted that you soldiers of the United Nations Armed Forces, will go on giving up your lives for them and their profits.

But are you willing to do so?
For you, war means death, peace means alive and safety.

FREE YOURSELF FROM THE CLUTCHES OF THOSE WHO TRADE YOUR LIFE FOR PROFITS.

THE KOREAN PEOPLE'S ARMY
THE CHINESE PEOPLE'S VOLUNTEERS

북한인민군과 중국인민지원군이 유엔군을 타깃으로 제작, 살포한 삐라다.
미국 월스트리트의 거대 자본과 그들을 위해 일하는 정치인, 장성들이 왜 한국 평화를 방해하는지 알리는 내용이다. 1952.

왜놈의 헌병으로 동포들을 학살하던 백선엽이는

륙군 청무소

8.15전

8.15후

백선엽

지금은 미국놈의 개가 되여 당신들을 양키놈의 대포밥으로 모라세우고 있다

소위「국방군」총참모장 백선엽이란 어떤놈인가

소위「국방군」총참모장 자리에 앉어 남조선 청년들을 사지 판에 모라넣고 있는 **백선엽**이란 놈은 외래 침략 강도놈들의 앞잡이로서 민족을 배반하고 나라를 팔아먹는데 습관이 된 매국노이며 민족의 **역적**이다 이놈은 과거 괴뢰 만주군 "**헌병중위**" 노릇을 해먹었는데 왜놈들의 압박에 못견디어 정든 고향땅을 버리고 만주로 간 무고한 우리동포들과 우리나라의 자유독립을 위하여 싸우는 애국자들을 **검거 투옥 학살**하는데 온갖 발광을 다하였다 이자의 손으로 만주일대의 우리 동포들의 불탄 초가집과 학살된 인민의 수효는 실로 부지기수이다

이런 놈이 8.15 해방후에는 왜놈대신에 미국놈을 그 주인으로 가라랑고 민족과 나라를 또다시 반역하는 것으로 "출세"의 길을 찾었다

조선인민의 도살자 미국강도놈들이 이런 흉악한 인간백정을 **인민학살기관**인 "륙군 정보국" 초대 "국장"으로 올려 앉힌것은 가히 알만한 일이다 사람 죽이는 "벼슬자리"에 올라앉은 이놈은 1948년 10월 려수 순천의 애국적 인민봉기를 탄압할때 5000여호의 농가를 불태워 버리고 6000여명의 무고한 동포들을 학살하였으며 미국놈이 우리 나라에 대한 침략전쟁을 개시하자 이놈은 솔선 동족을 살상하며 우리 민족을 미국놈의 노예로 만드는 데 두팔을 걷고나섰다 이렇게 동포들을 많이 죽인 공로로 "총참모장" 자리에 기여올라 앉은 이놈은 남조선 청장년들을 더 많이 **양키놈의 대포밥**으로 모라 세우는 것으로 미국놈에게 "충성"을 보이기에 미쳐 날뛰고 있다

「국방군」장병들이여!

소위「국방군」총참모장 **백선엽**이란 바로 이런놈이다 민족을 배반하고 나라를 팔아먹으며 당신들의 가족을 못살게 하고 당신들을 죽엄터로 모라 넣는 **백선엽**이와 기타 **악질상관**놈들의 명령을 듣지말라! **놈들에게 총뿌리를 돌리라!**

(03104-L)

국군 병사를 타깃으로 국군 총참모장 백선엽의 해방 전후 행적을 알리는 삐라다. 1952.

돈있고 세력있는 사람은 후방에서 잘먹고 돈벌고 세력없는 사람은 전방에서 목숨을 버리게되는 이것이 당신들 싸움의 진상이다.

당신들은 누구를 위하여 싸우는가? 이전쟁이 당신네집에 무산승인일을 찾어왔는가?

당신들은 다만 미국강도와 소수 조국을 팔어먹는 판급지주들을 위한뿐이다

고생하는 형제들이여!

미국강도를 위하여 몸맞고 구렁주리고 대포밥으로 되지 말라!

전체조선인민은 단결하여 리승만정부의 매국행위를 규탄하자!

평화를 위하여 전쟁을 반대하자!

'증병령'을 둘러싼 차별 문제에 초점을 맞춘 삐라다. 남한 사회 분열을 조장하는 내용이다. 1952.

누구를 위해 싸우며 누구를 위해 군대질 하는가?

리범수는 세번이나 증병령을 받었으나 그의처가 면장의 조카딸인관계로 증병은 면제되었다. 금년추석에 그들은 집에서 가진 향락을 누릴것이다.

당신들은 증병령을 받자마자 전선에로 끌리워왔다. 하루겨우 □홉의 밥으로 배끌고 또 항상 욕먹고 매맞으면서 미국강도를 위한 군대질로 어느때 어데서 죽을지 모른다.

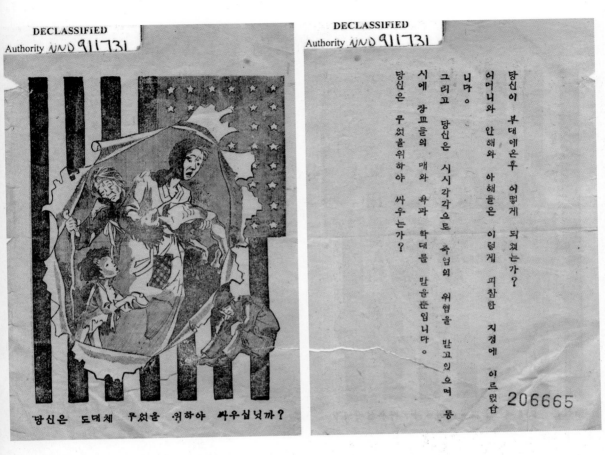

북한인민군이 국군 병사의 사기 저하를 노리고 제작, 살포한 삐라다. 1952.

1919년 3.1운동을 상기하면서 일본을 다시 한반도에 끌어들이는 미국을 몰아내자고 주장하는 삐라다. 1952.3.

미국 강도놈들과 리승만 역도들은 조선민족의 극악한 원쑤 왜놈들을 또다시
우리 조국강토에 끌어드릴려하며 우리 민족을 미국놈의 노예로 만들기 위하여
미쳐 날뛰고 있다 만일 그대들에게 왜놈들을 반대하는투쟁에서 흘린 선조들
의 피가 귀중하거든 침략자 미국놈과 리승만 매국도당들을 반대하여 궐기하라!

조 선 인 민 군
중국인민지원군

1952년 3월 이승만 대통령이 국방부장관으로 임명한 신태영을 비판하는 삐라다.
신태영은 일본군 장교 출신으로 친일반민족행위자에 이름을 올린 인물이다. 1952.

한국군 수뇌부인 리종찬, 백선엽, 김석원 장군이 8.15 전(해방 전)에는 일본군 장교였다는 사실을 알리는 삐라다. 창씨개명을 단 세 사람의 캐리커처를 뒤집어 놓은 게 기발하다. 1952.8.1.

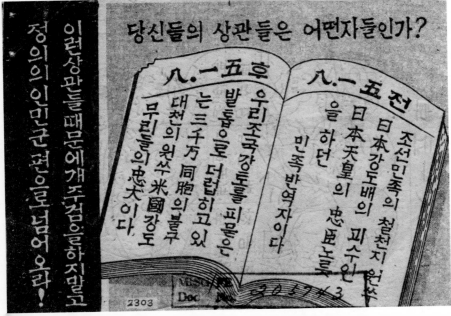

이승만군대의 젊은 장교들이여!
현실을 냉정하게 판단하고 신중하게 행동하라!

미국 양캐들은 「조선 사람들끼리 싸우게 하라」고 떠버리면서 당신들에게 죽음을 강요하고 있다

만일 당신들이 일시적 향락과 더러운 영달때문에 계속 미국 양캐들과 이승만 역도들을 위하여 종사한다면 결국 자기자신의 일생을 망쳐먹을것이며 많은 사병들을 죽음터에 빠뜨리는 엄중한 죄악을 범하게 될것이다

이승만 군대의 젊은 장교 여러분! 당신들도 조선민족의 피가 흐르는 청년이 아닌가 결코 미국 양캐들과 이승만 역도들에게 귀중한 생명을 바치지 말라

민족적 기개를 높히여 용감하게 궐기하라

병변을 이르키고 조국과 인민의 품안으로 넘어오라

조선민주주의 인민공화국 정부는 개별적 혹은 집체적으로 넘어오는 이승만 군대 장병들에게 각자의 희망에 따라서 취학 또는 취직할수 있도록 도와주며 행복한 장래를 보장하여 준다

만일 당신들이 부대를 인솔하고 넘어온 경우에 당신들이 희망한다면 부대를 해산시키지 않고 조선 인민군에 편입시키며 이전 판등급대로 지위를 보장하여 주며 공로에 따라서는 승급시킨다

조 선 인 민 군
중국인민지원군

(03331)

북한인민군과 중국인민지원군이 국군 젊은 장교를 타깃으로 뿌린 삐라다. 1952.

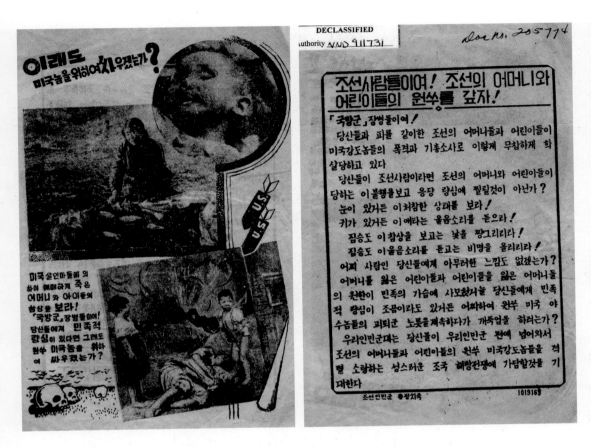

북한인민군 총정치국이 제작 살포한 삐라. 미군 폭격으로 인한 민간인 학살을 비난하는 내용이다. 1952.

356

10년 간격으로 전쟁터에 끌려가는 한 가족의 비극을 그린 삐라다. 1952.

남한의 세 모녀가 우물가에서 동반 자살을 시도했다는 소식을 그린 남한 체제 비판 삐라다. 1952.

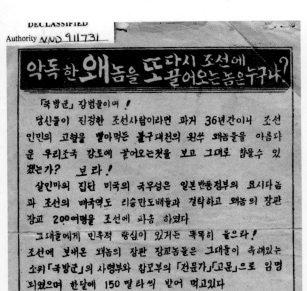

북한인민군이 국군 병사에게 뿌린 삐라다.
한국전쟁 발발 이후 일본군 장성과 장교 200여 명이 군사고문 명목으로 한국에 들어와 활동하는 것을 비판하는 내용이다.

북한인민군이 한국전쟁 발발 2주년을 맞아 제작한 삐라다. 1952.6.

미국 국립문서기록청에서 수집한 북한인민군과 중국인민지원군의 귀순 권고 삐라 일러스트 모음이다.

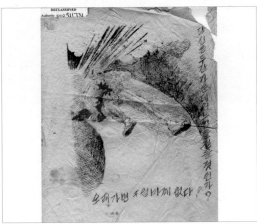
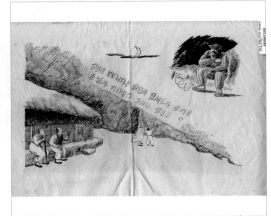

국군 병사를 대상으로 의거(귀순)하거나 빨치산에 참여하라고 권유하는 삐라다. 1952.

이승만 정부가 전쟁을 계속하기 위해 세금을 대폭 올리는 것을 비판하는 삐라다. 1952.

1945년 8.15 해방 시점과 7년 뒤인 1952년 8.15 현재 상황을 비교해 남한 체제를 비판하는 삐라다. 1952.

일제 강점기와 해방 이후를 비교한 삐라. 1952.

형제들이여!

조선을 침략하는 미제국주의는 三十六년동안 우리를 통치한 일본제국주의보다도 더욱 흉악하다는것을 알어야합니다.

그들은 조선의 아름다운 도시와 농촌을 불질었으며 우리의 누나와 동생들을 강간하였으며 무고한 동포를 학살하였습니다.

형제들이여! 일어나서 견결하고 용감하게 리승만과 미제 침략군대에서 탈출하야 우리들의 위대한 조국의 독립과 자유를 쟁취하기위하야 무쟁하십시요。

「국방군」 장병들이여!
남반부 인민들이여!
공화국 북반부 농민들은 1946년 3월 5일에 실시한 로지개혁의 혜택으로 땅의 영원한 주인이 되였고 공화국 정부의 시책과 배려로 생활은 날로 향상되고 있다
작년은 가렬한 전쟁 환경임에도 불구하고 28년만에 처음보는 대풍작을 이루어 지금 인민들은 식량의 부족을 모르고 안착된 생활을 하고있다
그런데 미국놈들이 강점하고있는 남반부 농촌 사정은 어떠한가? 농민들은 일년래내 피땀흘려 농사 질어도 초주림에 허덕이고 있으며 작년은 심한 흉작까지 드렀다 이승만 괴뢰정부 발표에 의하더라도 남조선에는 금년도에 760만 석의 식량이 부족되며 농민들은 3~4월까지면 식량이 완전히 떠러질 지경에 처하여 있다
조선의 곡창이라고 하든 남조선에서 농민들은 왜 이렇게 못살고 있으며 식량이 부족되는가? 그것은 미국놈들이 남반부를 강점하고 농민들을 압박 착취하며 이승만 매국도당들이 소위 "상환미, 오 "로지수득세, 요하여 년수확의 65~80%를 현물로 강탈하여 갈뿐더러 265종이나 되는 각종 가렴잡세로 인민들을 못살게 하며 농촌 청년들을 모조리 「국방군」에 강제징병하여 농촌 로력이 없게된 때문이다
「국방군」 장병들이여! 남반부 동포들이여!
당신들과 당신들의 가족을 못살게하는 미국 강도놈들과 이승만 매국도당들을 반대하여 싸우라! 로지 없는 농민 로지 적은 농민에게 무상으로 땅을 나눠주며 인민들의 행복한 생활을 보살펴주는 조선민주주의 인민공화국 정부의 시책을 지지하여 나서라!
조선 인민군
중국 인민 지원군

이 삐라는 인민군 또는 지원군 편으로 넘어오는 신변안전 보증서로도 된다
(03218)

북한인민군과 중국인민지원군이 국군 병사와 남한 주민을 타겟으로 만든 삐라다. 남한의 수탈 체제를 비판하는 내용이다. 1952.

투항한 한국군이 북한 유명 여배우 문예봉과 찍은 사진을 게재한 삐라다. 1952.

국군 병사에게 "진공 명령을 듣지 말고 대열을 이탈해
도망하라"고 권고하는 삐라다. 1952.

「국방군」 장병들이여 !
당신들 앞에는 인민군과 지원군의 포
땅크등 강력한 화력과 철벽같은 방어
선이 가로막고있다
전진하면 무자비한 불벼락과 무서운 주검의
함정이 기다리고 있다
　전진하여 죽지말고 도망하여 살길을
찾으라 !
　살기를 원하거든 앞장에 서지말라 !
　대렬을 리탈하여 도망하라 !
　진공명령을 듣지말고 악질장교를 쏴
죽이라 !
　　　　조선인민군
　　　　중국인민지원군

한국전쟁 최대 격전 중 하나였던 금화전투를 언급하면서 투항을 권유하는 삐라다. 1952.11.

추석 명절을 맞아 향수를 자극하는 삐라다. 1952.

북한인민군과 중국인민지원군 총사령부가 살포한 안전보증서 형식 삐라다.
미군 삐라와 마찬가지로 한 장으로 여러 명이 사용할 수 있다고 돼있다. 1952.

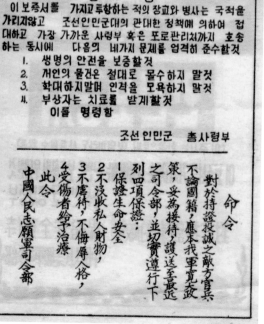

국군 병사 출신 영삼이와 칠성이의 운명을 비교한 심리전 만화다. 1952.

북한인민군은 국군이 의거 귀순할 경우 어떻게 대우하는지를 10장의 일러스트로 제작해 공개했다.

의거하여 오는 국방군, 장병들에게 대하여서는 과거를 추궁하지 않으며 공화국공민으로서의 권리와 자유를 부여한다

적에게 손실을 주고 온 의거자에게는 국가표창을 수여한다

의거자들이 무기·기타군수기재를 휴대하고 올시에는 상금을 수여한다

의거자들이 미제와 리승만도당을 반대하여 조선인민군에 편입 되여 싸울것을 희망할시에는 전국방군의 직급대로 인민군 직급을 수여하거나 공로에따라 승급시켜 인민군해당병종에 편입시킨다

373

집체적 의거부대들에 대하여서는 그부대들을 해산시키지않고
인민군에 편입시킨다

의거자들이 직장을 희망할시에는 적당한 직장을 알선하여준다

의거자들이 농업을 희망할시에는 토지및 농사에종사할수있는
제조건을 해결하여 준다

의거자들이 배움을 요구할시에는 희망하는 해당학교에 입학시
켜 국비로서 공부시킨다

의거자들이 가족을 인솔하여 왔을시에는 그가족들에 대하여서
도 역시 이상 조항에 의하여 대우한다

조선민주주의 인민공화국의 공민으로서 적편에 넘어간자들로서
도 의거할시에는 역시 이상조항에 의하여 대우한다

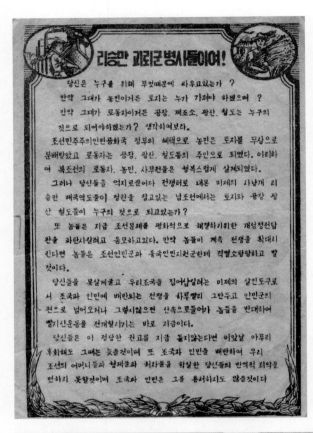

북한인민군이 국군 병사를 타깃으로 뿌린 삐라. 미국이 개성 정전회담을 파탄내려 한다고 비난하고 국군 병사에게 귀순을 선택하거나 아니면 빨치산에 들어갈 것을 권유하는 내용이다. 1952.

뒷면에는 3.8선을 경계로 하자는 정전 제안을 미국이 반대하고 있다는 이미지를 담았다.

연말연시 향수를 자극하면서 동시에 남한 사회 불평등
과 상류층의 부패를 비판하는 삐라다. 병사의 사기 저하
를 노렸다. 1952.

정전회담 지연 책임을 미국에게 묻는 삐라다. 1952.

북한인민군·중국인민지원군 - 1953

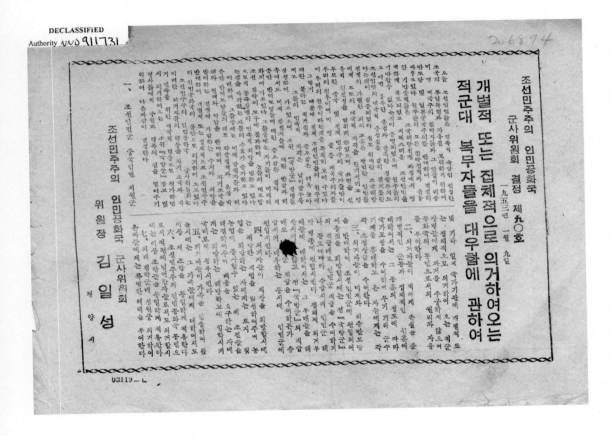

김일성 명의 "의거하여 오는 적군대 복무자(귀순자)" 대우 규정이다. 1953.1.9.

미국의 새군사모험은
더많은 조선사람의 피를 흘리게한다!

아이젠하워는 미국의 새대통령 자리에 들어앉은 후부
터 매일같이 전쟁을 확대 하여야한다고 떠들어대고있다
그에게는 지금 한개 새계획이있다 그것은 즉 수많은
조선청년의 "값싼" 피와 미국의 강철을 갖이고 또한번
一九五二년 이전과 같은 대규모적작전을 하려고 하는것
이다 그들은 내놓고말하기를 "남한군을 중산군에 대련시킴
으로서 미군의 희생자를 감소시키라"고 하였다 (동경 一
월二十六일밤 유·피통신)
그러나 미국강도의 군사모험은 반드시 실패로·도라가
고 말것이다 싸워갈수록 강하여지는 조중인민군은 과거
에있어서 맥아더·밴푸리트의 모든 공세를 격퇴하였다
오늘 미국강도가 감히 모험적으로 진공한다면 철벽과같
은 진지를 갖이고있는 조중인민군에게 마치 미국제七사
가 지난날 금화북쪽에서 받은 실패를 되푸리하고 말것
이다 실로 금화전투에 참가하였던 "북방군" 제二사단의
많은 중대들은 전투후에 겨우 한두사람밖에 남지않었다
이러므로 싸우기를 조와하면서도 죽엄을 무서워하는
미국놈들은 당신들을 앞에 내세워 조선사람의 피로서
미국의 승리를 얻어 오려고 망상한다
"북방군"장병들이여! 미국강도의 희생종으로 되지말라!
부디 당신들의 고귀한 청춘을 아끼고 생명을 보존하여
앞으로 자기의 행복한 가정을 이루어야하며 조선인민
의 나라를 건설 하여야 한다!

보라! 미국의 전쟁확대계획의 음모를!
이러한 계획은 맥아더장군이나 밴푸리트장군이 여러
번 세웠으나 전부 실패한것이다!

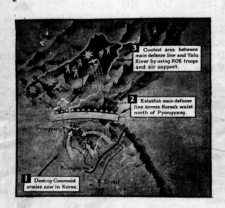

一九五三년 一월二十六일 "타임스잡지에 실린 지도 ③의 설명에는 이와같
이 씨여있다 "남조선부대는 미국공군의 지지를 받어 주요한방어선및 압록
강 사이의 지역에서 전쟁을 진행할것」.
보라 지도위에 검은 화살은 압록강을 넘어 중국의만주를 집고있다 이
것은 전경을확대하여 전조선을 정복하고 새중국을 침략하려는 미국강도의
음모를 나타낸것이다
이전쟁계획으로 땀미얌아 남조선청년들이 생명은 그얼마나 없어질것인가!

623

미국의 전쟁 확대 계획을 비난하는 삐라다. 1953.1.

설 명절을 맞아 향수를 자극하고 미국과 이승만 정부를 비판하는 삐라다. 1953.2.

모 포로수용소에서 유쾌하게 一九五三년을 맞이하는 전 국방군장병들

그들은 풍족하게 풍급품을 받으며

매주일 한번씩 시원히 목욕도하며

포로수용소에서 생활하는 국군 포로 사진을 담아 귀순을 유도하는 삐라다. 1953.1.

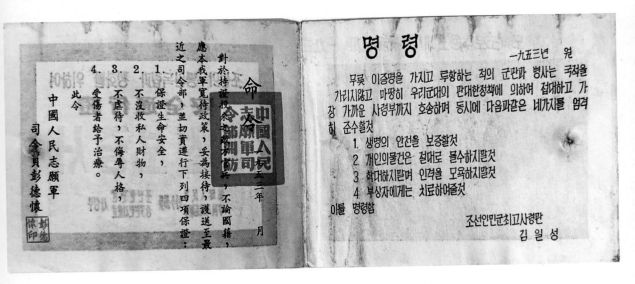

투항하거나 귀순하는 국군, 유엔군의 안전을 보장한다는 김일성과 중국인민지원군 사령관 팽덕회의 '명령' 형식 삐라다. 1953.

06

에필로그

한국전쟁기 미군은 25억 장 이상, 북한은 3억 장 이상의 삐라를 뿌렸다. "적을 삐라로 파묻어라"는 말이 무색하지 않았다. 한반도 전역이 삐라로 뒤덮였다고 해도 과언이 아니다. 유엔군과 북한군은 삐라 심리전으로 서로를 악마화했다. 특히 미 극동사령부와 미8군은 삐라에서 북한과 중국, 소련을 괴물이나 야수, 짐승으로 묘사했다. 또 북한을 소련의 꼭두각시로 그렸다. 이런 비인간화는 상대를 쉽게 학살하는 기제로 작용하기도 했다.

삐라라는 종이폭탄에 담긴 냉전 세계관은 전쟁이 멈춘 후에도 대한민국의 학교 교육이나 언론 등을 통해 오랫동안 이어졌다. 남쪽에서는 북한을 정상적으로 마주할 대상이 아니라고 인식했다. 심지어 1980년대까지도 많은 이가 북한 사람을 뿔 달린 털북숭이라고 여겼다.

농민의고혈을
짜는 공산당!

1245

뱀 형상은 미군이 북한 공산당과 인민군을 묘사하는 가장 흔한 상징이었다.

소련 스탈린을 탐욕스러운 악마로 묘사했다.

북한 김일성이 악마에게 북한 인민을 제물로 바치고 있다.

미군은 삐라에서 공산당을 온갖 형태의 괴물로 만들어 북한을 향한 혐오와 공포심을 조성했다.

미군 삐라에서 김일성은 꼭두각시로 등장했다가 야수로 변신하기도 한다.
심리전이 창조한 꼭두각시와 야수 이미지는 북한 공산당을 상징하는 이미지로 남쪽 사람들에게 각인됐다.

한국전쟁 때 심리전이 남긴 냉전 세계관, 상대를 괴물, 꼭두각시 등으로 규정하고 증오와 혐오를 부추긴 위력은 여전히 우리를 지배하고 있다. 대북 삐라 살포, 확성기 방송, 이에 맞선 오물풍선 등이 그 증거다. 윤석열 정부의 대북 정책이나 북한을 보는 한국 주류매체의 시각도 본질적으로 과거 심리전이 짜놓은 틀 안에 있다. 이제 70년이 넘었다. 그 세뇌에서 벗어날 때도 됐다.